ean giraudoux

ittérature

idées nrf

COLLECTION IDÉES

Jean Giraudoux

Littérature

nrf

Gallimard

PRÉFACE

Ce n'est pas sans en être surpris moi-même que je donne à ce recueil consacré à la littérature française un caractère, une humeur, et que je le situe dans cette année de drame. Je pensais jusqu'ici que les études que je m'offrais de certains de nos auteurs n'avaient d'autre intérêt que leur dédain des contingences. Du moins chacune m'avait soustrait aux débats et aux soucis de l'époque, comme aux miens propres. C'était mes vacances dans l'altitude, les récompenses que méritaient mon travail et mon âge: c'était mes prix. Au lieu de livres, je me donnais Racine lui-même, Laclos, La Fontaine, Ronsard eux-mêmes. Cette présence instante qui est la leur devenait pour quelques jours mon absence, et, quand je les quittais, je prétendais rapporter en épures le souvenir et l'expérience de leur intimité. Ils m'avaient trompé. Tout ce que je croyais avoir obtenu d'eux par la force du détachement et de l'indifférence au temps, l'hypertrophie de l'année, la catastrophe ou l'espoir de nos cœurs me le dictent à nouveau, sans changer une phrase. Ces portraits littéraires sont devenus des visages, des faces, et écoutent, et murmurent, et cillent. Ou plutôt je m'étais trompé, à vouloir retirer à notre littérature, par égard pour elle, son humanité et son exis-

tence quotidienne, à vouloir faire, de cet étage de notre langue et de notre esprit qui flotte à mi-hauteur de la vie et de l'irréalité de la France, des chambres de sérénité. Notre littérature n'est pas nos Champs-Élysées ; elle est le domaine intangible, incorruptible, agissant, de notre valeur véritable et de l'aventure française en ce monde. Ceux d'entre les Français qui se sont confiés à elle ces derniers mois sont les seuls à connaître l'avenir, et la prophétie qu'est la phrase de nos écrivains les moins inspirés, fût-elle de Boileau, les dispense des prophéties célestes. Ce n'est d'ailleurs pas que nos grands et petits auteurs forment soudain, devant l'invasion de leur pays, une cohorte de dissidence. Au contraire. Ils en restent la population fixe, ils continuent à habiter tous sur chaque pouce de son sol. Ce n'est pas là une spécialité ; dans toute autre patrie leurs confrères non plus n'émigrent pas, et notre reconnaissance vient d'ailleurs. Elle vient de la révélation que cette littérature française dite heureuse et pratique non seulement s'accommode de tous les temps, même sinistres, même irréels, mais les avait prévus, mais était un recours contre eux, ou leur explication, et tout ce que nous avions jugé en elle être injonction, individualité, raisonnement n'est plus que réponse, communauté et accueil. Chacun de nous a rencontré cette année dans ses périples un être humain dont la nature, dans le malheur et pour le malheur, s'était soudain invertie, dont l'élégance, du fait seul de sa noble condition, était devenue tendresse, la force gravité, le bon sens enjouement. Mais que ce phénomène se soit étendu à l'ensemble de ceux qui en France ont écrit, qu'une inversion générale ait doté soudain nos classiques de tendresse, nos romantiques de dévouement, nos bavards de la Renaissance de gravité et de concision, c'est là le prodige, d'autant plus qu'il se manifestait aussi *pour l'ensemble de ceux qui lisaient. Il y avait bien eu déjà ceux qui trouvaient soudain dans un écrivain leur consolation ou leur vengeance aux épisodes de leur vie privée. J'ai connu le grand fonctionnaire disgracié qui un jour découvrit Montesquieu, qui du soir au matin posa son ruminement et sa rage, car une ligne du chapitre XI de l'*Esprit des Lois *décrivait la tare de ses chefs, car le titre seul du chapitre VII le promouvait à tous les postes et les grades que ses ministres lui avaient refusés, car un mot des* Lettres Persanes *indiquait, — sans l'indiquer, ce qui était bien mieux — le statut parfait du fonctionnaire, et que le* Temple de Gnide *amenait finalement aux voluptés de la nature et du cœur. Mais cette fois, il s'est agi d'une entente et d'une correspondance unanimes. A chaque Français le style français a répondu, non pas en le distrayant et le détachant de son sort, mais en lui en rendant l'honneur, le luxe, les grâces, et surtout les responsabilités. Pas de lecture qui ne se termine en mission. Responsable du printemps français avec Charles d'Orléans, de la douceur française avec Marivaux, de la colère française avec d'Aubigné et, au hasard des auteurs, de la minutie et de la largeur, de la simplicité et de la préciosité, de la curiosité et de la pureté françaises, chaque Français est remis par sa langue et par son écriture dans une chair et à un poste qui ne comportent ni la ride, ni la haine stérile, ni l'abandon. Sans reprendre les disputes de cénacle sur la vraie littérature française et la fausse, et au lieu de poursuivre un examen de conscience sans issue, il me semble donc que tous ceux qui pourront éclairer notre domaine spirituel s'éclaireront eux-mêmes. Heureux malgré tout le peuple qui, dans l'incertitude et la faiblesse, n'a besoin, pour se voir clair et fort, que de se regarder dans son miroir.*

Il serait téméraire de croire que ce soit là chose facile.

Le maquillage de nos auteurs a été opéré par la critique ou l'habitude de façon si parfaite que l'on ne peut pénétrer dans notre littérature que par la chance ou l'effraction. La plupart de ses districts sont pratiquement inconnus, du moins en France, prospectés par de rares originaux, des savants en général, non des lecteurs, et, pour les autres, les procédés employés pour présenter les œuvres dans leur sang et dans leur vie se ramènent généralement à la stérilisation. Son enseignement comporte d'ailleurs rarement les œuvres même, mais les statues de ces œuvres, sous la forme de morceaux choisis. C'est coulés dans le bronze que parviennent aux jeunes Français les plaintes de Villon, les soupirs de Bérénice, ou le clapotement du Lac. Je n'ose médire des Morceaux choisis. Je me rappelle mon éblouissement, au lycée, quand je pus un jour en ravir le recueil à l'élève d'une classe aînée. J'abordais dans une patrie inconnue. Celle des armes j'en connaissais les noms. Ils étaient illustres, ils peuplaient déjà, Duguesclin ou Bayard, l'école communale. Les héros de celle-là étaient tous obscurs. Il était une série d'inconnus nommés Montaigne, du Bellay, Musset, Eugène Manuel, qui avaient accepté l'anonymat pour penser et écrire. Je vécus des mois dans leur secret, apprenant pour moi seul leur nom, un par semaine, quelquefois deux par jour : Marivaux, Vigny. Tout ce qu'ils m'ont dit au cours de cette rencontre prématurée était confidentiel. Monologue de la Calomnie, Récit du Cid, Booz et Ruth, c'étaient nos secrets. Dans une noce, à la campagne, je récitai « Mignonne, allons voir si la Rose », en laissant entendre, sans l'affirmer, que c'était de moi. On me félicita, c'était très bien, quoique un peu mièvre : j'apprendrais la force plus tard. Personne ne soupçonna un truquage, et il n'y en avait pas. Tout était de moi. Tout ce qui est la grandeur de notre esprit, la fleur de notre style, je l'ai lu pour la première fois, souvent sans le comprendre, dans les délices de l'accouchement et de la création. Les douleurs d'ailleurs m'en étaient épargnées. Le discours de Phèdre, les Chants les plus purs sont de purs sanglots. Samson et Dalila, je les ai mis au monde dans un bien-être souverain. Midi, de Leconte de Lisle, qui travaillait beaucoup ses vers, je l'ai fait en quelques minutes, dans une joie et une facilité sans bornes. La tristesse vint le jour où je fus abandonné par tous ces obscurs, le jour où la gloire vint les chercher. On me prit Hugo le premier; il m'avait trompé, il avait des rues dans la ville même, des avenues; et, au cours de l'année ce fut une débandade. Chateaubriand, Ronsard, Grandmougin, tous mes camarades savaient leur nom. Rien n'était plus de moi des Essais, des Satires, des Élégies. C'est le moment où je sentis la nécessité de les faire vraiment moi-même. Tous mes auteurs s'élevèrent de moi, comme les oies qui s'envolent laissant le renard seul et confus, me laissant dans mon dénuement et ma solitude à la veille du premier vers, de la première phrase, du premier madrigal et de la première ode. Quelques morceaux choisis étrangers me consolèrent, c'est cette fin d'année où j'écrivis « Être ou ne pas être », « Lasciate ogni speranza »... Mais ceux-là aussi à la première occasion déployèrent leurs ailes... L'expérience m'avait durci. Quand Verlaine arriva, je lus vraiment ses vers comme s'il en était l'auteur... Or ce trouble, ce déchaînement qui aurait dû me livrer nos auteurs dans leur sens et dans leur vie, du fait de ces Morceaux Choisis, me les a bien longtemps falsifiés. Ces fragments que je savais par cœur restaient entiers dans ma mémoire sans se dissoudre. Autour de ces tronçons palpables et sonores, tout le reste des œuvres était en filigrane, filigrane bien estompé qui ne demandait qu'à s'évanouir.

C'est ainsi, toute la variété, la densité, l'unité de notre vie spirituelle placée par notre éducation au-dessus de notre portée et de notre souffle, que mes camarades avec moi ont quitté leurs bancs d'élève, les uns vers le droit, les autres vers les lettres, mais tous persuadés qu'ils connaissaient dans ses plus hermétiques ressorts la littérature française.

Ils n'en connaissaient rien, moi non plus. Les Morceaux choisis ne sont qu'une des formes du complot, tantôt instinctif, tantôt volontairement ourdi, qui travaille depuis des siècles à dissimuler à chaque Français la réalité de cet héritage dont il est, quel qu'il soit, le légataire universel. Un conseil de famille terriblement uni l'empêche de toucher de cette innombrable richesse autre chose que des rentes d'État, à taux médiocre et invariable. Non pas, comme on l'a dit, que la moindre déconsidération s'attache en France à l'écriture. Au contraire. C'est bien plutôt que l'écrivain y est considéré depuis plus de deux siècles non point comme le porte-parole de ses propres inspirations, mais comme un porte-parole officiel, et qu'il n'y a chez nous que des écrivains publics. A dater du jour où celui qui écrivait se dégagea de ceux qui n'écrivaient pas, où chaque Français justement ne s'est plus senti l'auteur de ce qui était écrit autour de lui, où l'auteur à ses yeux et aux yeux du public perdit cet anonymat de Rutebœuf, de Villon, ou de Ronsard lui-même, à partir du jour où Malherbe vint, le premier qui ait eu un nom propre en langue française, l'écrivain et l'écriture devinrent la propriété de la caste dirigeante, en l'espèce la bourgeoisie, qui délégua contre assurances leur grade à ses professeurs et à ses critiques. Il fut entendu une fois pour toutes que notre domaine spirituel était magnifique, qu'il était même la charte de nos actions, mais il convenait de n'en laisser passer au Français que l'aliment reconnu sain par le goût et la raison. Il en fut donc chez nous pour la littérature comme pour la religion, et pour l'imagination comme pour la foi. De même que le catholique français se meut à l'aise dans une vie chrétienne où la Bible est pratiquement inconnue, et que toutes les figures de terreur, de crime ou de volupté sont exilées de son cœur religieux, et qu'il est cependant le modèle humain du croyant, on trouva ainsi le moyen de parachever le Français spirituel en lui cachant non seulement les livres apocryphes mais les livres saints de sa langue et de sa pensée. Le ravissement et la terreur littéraires en étaient évidemment la rançon. Tout n'est que paradis, enfer et aventure dans le dialogue que depuis mille ans nos écrivains ont engagé avec eux-mêmes ; notre trésor littéraire n'est que sang, orgueil, tendresse, effort, sérénité : un Français lettré peut vivre et mourir sans jamais le savoir. Un Français civilisé et poli peut vivre dans son paysage, sa maison, son verger, savourer la joie de l'espalier, du grenier, de la terrasse et de la cave, sans connaître les plus beaux vers intimes qui aient été écrits en ce monde et qui sont dans un livre à portée de sa main, de cette main qui adore les livres. Il peut voyager sur toutes nos routes, sentir au millimètre la montée de Vezelay, la descente de Saint-Bertrand de Comminges, sans connaître nos chansons de geste. Toute une série de nos objets et de nos sentiments sont privés ainsi de leurs contre-valeurs dans notre sensibilité et dans nos images : nos charmilles de nos tragi-comédies, nos gaietés de nos rondeaux, nos colères de nos invectives, nos routes de nos romanceros, et, pour nos religieux qui ignorent déjà le Cantique des Cantiques, nos messes et nos processions de nos hymnes et de nos odes. L'inaptitude du Français à prendre du champ vis-à-vis de ce qu'il aime n'est pas non plus sans amener le Français lettré, dans ses rapports avec sa litté-

rature, à une familiarité qui la lui dissimule. L'absence de vie élégiaque l'empêche le plus souvent d'aborder ses auteurs par ces entremises ou de les tenir à leur distance par ces glacis que sont la nature, les saisons, ou le détachement de soi-même. Son obstination à tout ressentir lui-même, et à ne jamais confier à un double l'exercice de son imagination ou de sa rêverie, l'amène à faire de ses auteurs des compagnons directs, des camarades, c'est-à-dire, comme il en est pour ses camarades de palier ou de travail, à ne plus les voir que pour lui, à ne plus les voir. Nous avons tous connu des camarades de Racine, des intimes de Rabelais. Ils les connaissaient aussi peu qu'ils connaissaient leurs femmes, ou eux-mêmes. Dispensés par le coudoiement avec les auteurs de toute curiosité et de toute surprise avec les œuvres, ils savaient par cœur chaque phrase, chaque vers, comme ils savaient chaque trait de leur femme, de leur fille: ils n'en savaient rien. Au-dessus de chaque écrivain et de chaque œuvre, se formait ainsi pour lui une œuvre qui n'avait que rarement ressemblance avec l'œuvre vraie, qui était l'œuvre que lui, lecteur doué, attendait du talent ou du génie: de la tendresse la préciosité, de l'abandon la prolixité, du désespoir la grandiloquence. Si ce n'est à l'aube de sa vie, collégien qui découvre dans les morceaux choisis des œuvres compassées, mais du moins qui découvre, ou à son déclin, quand retraité de l'existence, il suit dans la lecture du passé son seul avenir, jamais il ne risque d'approcher la vérité française littéraire, et mue en jardin public ses champs magnétiques. De là vient qu'il est le seul lecteur tranquille et satisfait de l'univers. Il vit sans se douter du danger au milieu d'écrivains insensés, carnivores, de griffes et de chair. Il met sans crainte sa tête entre les dents de Pascal, sa main dans celle de Saint-Simon.

En fait Orphée n'était rien auprès du Français lettré.

On aurait tort de croire d'ailleurs que cet état de choses influence excessivement la destinée de la France, et, à ce tournant, nous nous trouvons face à face avec cette vérité surprenante : tout se passe en France comme si les auteurs français étaient les guides de ceux qui ne sont pas destinés à les lire. Nulle part l'irradiation de la pensée, la primauté de l'écriture n'ont produit leurs effets balsamiques ou corrosifs plus complètement que dans ce pays où le culte qu'on leur rend est bourgeois et factice. Toutes les classes populaires sont chez nous d'accord, par leurs gestes et par leur vie, avec les Français auteurs. Tous ceux qui n'ont pas lu sont d'accord avec ceux qui ont pensé. Tous ceux qui travaillent, du paysan à l'artisan, suivent ponctuellement un décalogue dont l'écrivain nous présente les règles, et l'image de notre nation dans ses petits métiers et ses petites servitudes est la même que celle de ses inspirations et de ses libertés. Bref l'esprit de notre peuple est son esprit tout court, et il est celui où la simplicité primitive est le plus près de la suprême culture. Ce qui est le plus loin de Montaigne, de Marivaux, c'est le Français lettré, mais ce qui en est le plus près c'est le vigneron gascon ou la modiste parisienne. C'est pour cela que jamais, en dépit de la médiocrité des entremises, la destinée du pays n'a été encore faussée : le culte rendu à sa vie modeste par ses modestes habitants est le même que le culte rendu à ses destinées illimitées par son génie et son talent. Il est aussi faux de dire que les créations de notre littérature sont les moules de ces existences simples que de prétendre qu'elles en sont les modèles : mais la vérité est que simplicité et culture chez nous restent jumelles, que la vie manuelle et la vie spirituelle, le goût du pain et de la vérité y ont le même sel et la même salive, et que les mêmes récoltes et les mêmes réponses y sont encore données par l'imagination et le soleil. C'est cette impuissance pour notre art à devenir d'une autre race que notre nature qui est notre privilège ; cette réalité que l'on veut bien accorder à notre peinture elle est celle de tous nos styles, de notre style ; elle les pénètre de ses trois dons, l'intimité, l'individualité, et la grandeur, et il n'est pas d'exemple de communauté plus profonde que celle qui règne en France entre les deux personnes qui ne se rencontrent pas, qui n'ont nul besoin l'une de l'autre, l'artiste et l'artisan.

Il reste tous les autres, et nous en revenons à notre problème. Il reste que la France qui lit ou la France qui devrait lire, aussi bien dans son éducation que dans sa récréation morale ou spirituelle, n'a avec notre littérature réelle que des rapports artificiels, et souvent équivoques. Il faut dire, et j'y reviendrai dans le cours de ce livre, qu'une série d'écrivains porte une part de cette responsabilité, je veux dire les romantiques. C'est à ces champions de la liberté de l'inspiration que nous devons attribuer cet académisme qui régit encore chez nous toute l'éducation. Au moment même où notre bourgeoisie devenait le corps le plus important de l'État, où elle acceptait et sollicitait de le diriger, où elle était portée, dans sa conscience ou sa rigueur de comptable, à agir dans les mouvements de la nation plus en arbitre qu'en créateur, elle a vu se dresser en face d'elle une caste qui, sous le prétexte de préserver les droits de la pensée, prétendait simplement créer une bourgeoisie littéraire. A force de répéter que l'imagination et l'écriture était sa propriété, elle parvint facilement à convaincre une classe dirigeante qui réservait pour des fins plus substantielles la notion de propriétaire, et qui ne voyait que des avantages pratiques à la spécialisation des inspirés. C'est ainsi que naquit la vraie censure en France :

l'écrivain prétendait seul écrire. Quand un auteur parlait, il fallait que la France bourgeoise se tût, c'était que la France bourgeoise se taisait. L'autre France continuait à être le vrai auteur des Méditations, *des* Nuits, *de la* Légende des Siècles. *Mais elle n'en savait rien, ni les auteurs occasionnels non plus. Les tisserands qui tissent, les forgerons qui forgent, les paysans qui sèment continuaient à vivre dans des couleurs et des ondes qui leur étaient communes avec le tragédien ou le lyrique, mais entre la bourgeoisie dirigeante et la bourgeoisie écrivante une méfiance irrémédiable était née. Exilés qui brandissaient l'ostracisme, les écrivains crurent ainsi éliminer la bourgeoisie de l'inspiration, alors qu'ils s'éliminaient eux-mêmes de l'État, et, entre l'administration et l'imagination, entre le règne et la voix, entre l'intendance et le style, entre tous les ordres d'action et tous les modes de pensée, était opéré ce précipité dont nous voyons depuis un demi-siècle les effets terribles. De l'autre côté, le mobile principal des éducateurs n'a plus été que la suspicion vis-à-vis de la littérature en général, à cause du tapage nocturne et diurne dont l'écrivain était le spécialiste encombrant. Il ne s'agissait pas, car la bourgeoisie n'aime pas lever les pierres sous lesquelles dorment les serpents, de nier la grandeur et les hauts faits de notre esprit et de notre écriture, mais l'éducation devait consister à montrer que l'étude de notre littérature ancienne tournait à la confusion des littérateurs actuels, et tout hommage au génie passé devait être un camouflet au génie présent. De sorte qu'à l'école on enseignait la littérature pour rabaisser la littérature. De sorte que, pour nuire à ces écrivains que l'éducateur considérait comme des passionnés, des fous, des pulmonaires, tout notre répertoire fut présenté comme signé par la raison, le bien-être, et la santé. Malfi-*

latre y fut le seul abcès de fixation officiellement autorisé de la misère et du mal. Ainsi l'aveugle du Pont des Arts est le seul symbole, pareillement anodin, des férocités de l'existence, vis-à-vis des quarante élus et des quarante réussites. L'enfant n'eut plus devant lui la perspective d'un grand domaine qui lui appartenait dans son étendue et sa variété, où il vaquerait selon ses goûts et ses loisirs, mais celle d'auteurs permis, qu'il fallait absorber de suite et tout de suite, et d'auteurs défendus. Le malheur est que, intéressés à la lutte et naturellement généreux ou frondeurs, le lecteur et l'élève se passionnaient pour que justice fût rendue à ceux qu'il admirait, c'est-à-dire, comme l'autorité et les honneurs officiels étaient posés par la bourgeoisie de l'écriture comme la condition de cette reconnaissance, pour que les décorations, la Chambre des pairs fussent la récompense de l'indépendance et de la modestie. C'est ainsi que les corps d'État qui étaient des corps d'État agissants et créés par le législateur pour agir, l'Institut par exemple, devinrent des corps de représentation, satisfaits et inféconds, et que le fait d'y parvenir ne marqua plus le début d'une action mais le couronnement d'une carrière, ne fut plus une désignation, mais une retraite. De sorte que la littérature du passé, soumise aux mêmes règles, devenait une sorte d'académie rigide et respectée, et qu'il fallait plus de formalités que dans la réception au Quai Malaquais lui-même pour introduire un auteur écarté dans le manuel d'où tout écrivain noir était banni à moins de mérites spéciaux envers la société bien-pensante, à moins d'être Pascal, qui avait eu la chance d'inventer à la fois, l'une excusée par l'autre, la mort et la brouette.

Imaginer que pareille expérience n'a pas été réservée à d'autres littératures est peut-être un peu simple. Mais l'ancienneté de notre langue et de notre civilisation rendait chez nous plus critique cette interception entre les inspirations passées et les gestes présents du pays. A cause de l'étroitesse de notre éducation, de sa parcimonie, de sa sévérité, les grandes sources du génie français ont dû le plus souvent se ravitailler sur la vie courante, alors que le passé en gardait ses nappes pleines. Alors que nous avions dès le XIIIe siècle le roman même, nous étions tenus de le réinventer péniblement à chaque époque littéraire, et, dans la vie privée, réduits, si nous voulions le connaître, à le vivre. Alors que nous avions, dès le XVe, une poésie pure, la plus fraîche que l'Europe ait vue, chacune de nos générations devait la remplacer, à cause de l'ignorance qu'elle avait d'elle, par la nature même, et n'en trouvait l'émotion que dans la campagne même, la neige même, ou le soleil. Alors que notre religion a trouvé dans des chefs-d'œuvre son expression dogmatique ou mystique, le fidèle n'avait d'autre recours à ses interrogations ou d'autre déversoir à ses extases que les cantiques. Le Français ne manque ni de sens épique, ni de tendresse pour le monde, ni de vision du ciel ou de l'enfer, mais ce défaut de référence à toute une partie du cœur français le fait entrer dans bien des domaines de l'esprit et du cœur comme un novice, un niais, ou, ce qui n'est pas plus facile pour lui, un novateur. Que chaque jeune Français soit obligé de se sentir le premier valeureux, le premier tendre, le premier damné ou le premier élu, et qu'il demande à sa propre expérience et à ses propres dons non seulement son complément mais sa forme même, cela peut avoir des avantages, mais il en est de la tendresse et de la foi et de la poésie comme de la gloire, l'héritage en est plus doux et souvent plus fécond que la découverte. Il en est aussi plus sûr, et l'entretien de l'ample jardin qu'est notre littérature, la facilité et l'agrément de son abord, l'acceptation de ses merveilles reste notre plus réel remède contre l'ennui, la médiocrité et la mauvaise heure. Le destin français tel que ses poètes, ses écrivains, ses philosophes l'ont formé est le recours le plus ingénieux que l'humanité ait trouvé contre son destin général. C'est ce destin qui est sa patrie beaucoup plus encore que son sol. Il est décevant de voir ce que nous appelons l'histoire de France sue et rebattue dans tous ses détails, avec la moindre guerre, le moindre traité, le moindre général, alors qu'elle n'est qu'une histoire de bornes coûteusement, inutilement placées et déplacées, tandis que le Français a tout le loisir d'ignorer notre vraie histoire, celle de notre esprit et de notre langue, celle dont tout survit, celle qui au lieu de nous encercler de frontières élargit la France jusqu'au cœur de continents adverses, celle qui, sur les ruines actuelles, entre dans l'avenir avec la même force et la même ampleur, la seule confortante, et aussi la seule justicière. Si le goût de la lecture s'attise, dans cette période qui amasse sur nous les périodes les plus critiques et les plus passionnées que notre pays ait eu à subir, ce n'est pas qu'il soit le goût de la distraction, de l'oubli, il est l'instinct national le plus pur. C'est la mission de ceux qui sont les citoyens élus de cette patrie de l'ouvrir largement aux autres et de leur donner ces yeux neufs par lesquels ils verront enfin, sans parler des découvertes, jusqu'à celles des œuvres qui leur étaient le plus familières.

Paris, 20 mars 1941.

I

Littérature

RACINE

Il est satisfaisant de penser que le premier écrivain de la littérature française n'est pas un moraliste, ni un savant, ni un général, ni même un roi, mais un homme de lettres. Pour ceux qui croient encore au génie, ils ont également l'occasion, en contemplant Racine, de constater que dans une civilisation dont tous les faîtes sont atteints et dont les pratiquants reçoivent une âme également nourrie en toutes ses parts, le génie ne peut rien prétendre contre le talent. C'est cette civilisation qui est elle-même le génie, — qu'elle soit celle de Périclès ou celle de Louis XIV — ; c'est elle, du fait même de sa densité, qui libère l'âme de ces vides et de ces gommes par lesquelles sont obtenues des illuminations plus dramatiques peut-être ou plus mystérieuses, mais toujours à quelque degré décevantes ; qui élève dans la tranquillité et l'apparat l'homme de lettres au-dessus du jeu ou de la confession, et le rend responsable d'une acoustique enfin parfaite. La vertu d'une civilisation réussie est telle qu'aux moyens réduits par lesquels les écrivains, dans les époques inachevées, acquièrent de l'expérience, malheurs, observation des hommes, crises cardiaques ou conjugales, se substitue alors, dans ces périodes heureuses, une connaissance congénitale des grands cœurs et des grands moments. Racine est la plus belle illustration de cette vérité. Aucune enfance n'a été plus soustraite que la sienne aux lois et aux aventures de l'enfance ; non seulement il est privé de son père et de sa mère, mais on s'étonne, à voir les personnages singuliers et véhéments qui l'entourent, qu'il s'en soit trouvé un seul pour lui apprendre à marcher. Son adolescence n'a pas été moins théorique ; pour le protéger du monde, une ronde de vieillards jansénistes fit la haie autour de la pelouse en fleurs où le jeune Racine se livrait, entre visiteuses et visiteurs uniquement grecs et latins, aux occupations les plus passionnées, mais les plus imaginaires. L'étude et la joie de l'étude ont remplacé pour lui tout contact avec la vie, tout bonheur, toute catastrophe, jusqu'au jour où il pénétra dans un monde plus dénué encore d'assise que celui où il vivait déjà, dans le théâtre. Il n'a en somme connu que des opérations et des gens costumés. Mais, et ne refusons pas une telle apothéose à l'écriture, il se trouve que, du contact entre cette jeunesse sans jeunes années et ce milieu d'artifices, est née soudain l'œuvre la plus directe et la plus réaliste du siècle. Les lois esthétiques sont sans doute aussi rigides que les lois mathématiques : ses découvertes sur les hommes, Racine les a dégagées avec une distraction, avec un détachement de l'humanité aussi grand que celui du géomètre pour la vie courante et familiale des chiffres et des figures. Il n'est pas un sentiment en Racine qui ne soit un sentiment littéraire. Beau, sensé, élégant, il a passé brillamment, avec Sophocle, avec Gœthe, ce conseil de révision des grands hommes de lettres ; ni son corps ni son esprit ne révèlent une seule de ces imperfections ou de ces particularités par lesquelles l'œuvre est rendue plus personnelle et humaine. Il n'y a en lui rien de visionnaire ni de réel, de frénétique ni de découragé. Son amertume, quand il est amer, ne vient pas de ce qu'il est trompé ou boiteux, sa douceur, de ce qu'il est en paix, sa vigueur, de ce qu'il est herculéen, — mais de ce qu'il est écrivain. Sa méthode, son unique méthode, consiste à prendre de l'extérieur, par le style et la poétique comme par un filet, une pêche de vérités dont il ne soupçonnait lui-même que la présence, et à utiliser jusqu'à l'extrême les dispositions naturelles d'une culture et d'un langage à modeler, dès que le talent les caresse, la réalité morale. Le levain de ce talent même est purement littéraire. De toutes les grandes questions que l'évolution des esprits, ou les circonstances, ou simplement la mode posaient à son époque, et dont les lettres de Mme de Sévigné elles-mêmes sont empreintes, non seulement Racine ne s'est jamais inspiré, mais il n'en a jamais laissé une seule parvenir dans sa vie intérieure.

Ses crises, ses émois religieux? Bien qu'il vécût au centre même des querelles, jamais il ne s'est posé d'interrogation, je ne dis pas sur Dieu, mais sur un dogme. Ses réponses au monde, ses appels dans l'angoisse n'ont pas été des professions de foi, mais des épigrammes et des distiques. Ce que les aventures de sa vie lui inspirent, c'est uniquement, comme il est naturel avec cet esprit ardent et susceptible, la satire. La seule pièce qui lui ait été dictée par son expérience, ce sont les *Plaideurs*, dus à son procès, et l'on ne peut dire qu'elle soit du Racine. Ses réactions les plus violentes se sont exercées, non pas vis-à-vis de la religion, mais vis-à-vis des religionnaires. Il a eu avec les jansénistes les disputes de l'enfant de chœur avec les diacres, Pascal les a eues avec Dieu. Sur Racine, sur la vie de Racine les apologues bourgeois de la Bible, enfant prodigue ou autres, s'appliquent aisément, comme sur les actes de tout chrétien banal : les apologues meurent sur le visage de Pascal. Sa période de dissipation n'a jamais été une période d'impiété : il se réconcilie, non avec Dieu, mais avec sa tante ; il se fait enterrer non aux pieds d'un saint, mais aux pieds de celui qui lui apprit les racines grecques. La belle entreprise fatale que les jansénistes ont tentée dans un siècle de terribles libertés individuelles, dans ce Port-Royal, nommé comme le havre où atterrissait aux Indes un raid de corsaires ou de bannis, Racine n'y a jamais pris part, s'étant enfui comme mousse à la première escale et ayant réintégré le navire alors qu'il était devenu ponton. Il n'a rien connu, et même soupçonné, de l'aventure. Il s'est écarté des jansénistes, — tout naturellement, — alors qu'il voyait en eux sa famille, et leur est revenu, ce qui est non moins naturel, quand il a vu en eux des amis. Ceux qui connaissent Dieu savent que le mot amitié est certainement la plus faible expression de ralliement à la foi, et ne peut servir qu'aux timides et aux ignorants incapables de prononcer les grands mots de passe. Les rapports que l'on voudrait trouver entre ses héros, ses héroïnes, et une conviction religieuse originale sont aussi inexistants. Le prétendu jansénisme de Phèdre, si l'on veut l'appeler ainsi, le cède en vigueur et en conviction au jansénisme des héros d'Eschyle, et d'ailleurs l'action tragique n'a jamais consisté depuis la naissance de la tragédie qu'à projeter la fatalité sur un être choisi. Les deux pièces catholiques, *Esther* et *Athalie*, s'expliquent par le catholicisme de Louis XIV et non par celui de l'auteur. Elles ne sont d'ailleurs pas catholiques, elles sont israélites et jamais Racine n'a plus approché la vérité antique, — biblique dans l'espèce — que dans la description de cette grandeur et de ce réalisme des juifs dont peut-être il n'a pas connu un exemplaire. Pendant toute sa carrière dramatique, la vie religieuse de Racine s'est réduite à cette vague inconscience chrétienne, plus commune peut-être d'ailleurs chez les femmes, dont le dépôt agit comme un vaccin mais jamais comme un ferment.

Cette vie mondaine, de dissipations et d'aventures? Elle ne présente pas de particularité plus vive. Les raisons et les circonstances n'en élèvent jamais Racine au-dessus des actes humains les plus habituels. Aucun de ses gestes, de ses goûts ne le porte au-delà de cette culture largement répandue sur les enfants de chœur littéraires. Jamais il ne frôle les points aimantés ou dangereux des connaissances humaines. Le frémissement d'une âme jeune aux approches d'un point mystérieux, Racine ne l'a jamais éprouvé. Inutile de chercher dans ses premiers essais l'équivalent de ces études de Pascal sur le vide, qui étaient des essais d'approche du néant. Les figures géométriques, les chiffres le rebutent, il aime trop le style soutenu pour que la ponctuation du monde l'intéresse. Privé de parents, sevré tout jeune d'actes familiaux, son affection se répand sur une nature conventionnelle, sur un monde littéraire dont il est le jeune et chaste satyre. Tout occupé à passer au soleil de Théocrite les murailles et les vallées jansénistes, il savoure le romanesque à sa dose la moins novice. La retraite dans les enclos sacrés n'a pas fait de lui un lévite, mais un provincial, et ses seules ambitions sont celles d'un littérateur que Paris attire. Il a le désir d'être publié, il aime faire des articles, il cherche des correspondances. Lorsqu'il va passer quelque temps dans cette province même, il en savoure à peine autant les charmes que Chapelle et Bacheaumont, et dans aucun de ses vers ne peut se sentir le paysage et le climat d'Uzès, alors que le moindre vallonnement et le moindre flot de la province tragique s'y inscrit aussitôt. Si, à son retour à Paris, l'irrégularité pénètre dans sa vie, c'est, non pas en vertu d'un caractère et d'exigences originales, mais par les défauts ou les qualités mêmes du littérateur né. Ce qu'on appelle sa période de dissipation ne comprend que des distractions d'ordre professionnel, c'est-à-dire le contraire de celles où tombent généralement les esprits inspirés. S'il a une affaire de cœur, c'est avec une comédienne. S'il a des affaires d'honneur, c'est à propos de tragédies. Jamais auteur n'a tenu aussi nerveusement au succès de ses pièces et n'a davantage défendu des chefs-d'œuvre par leurs petits côtés et par les siens. Rien de ces transes par lesquelles Chateaubriand ou Vigny divinisaient leur grossesse, prétendaient lui donner une signification actuelle et humaine, s'accroissaient de leur propre postérité, et finissaient par paraître moins les pères que les fils de leurs œuvres et de leurs tourments. Pour Racine, la naissance d'une tragédie est d'abord une question de sujet, puis de composition, puis de développement. Quand le mot mort vient sous sa plume, il ne pense pas à sa mort. Pas plus qu'à son ombre, quand il écrit le mot ombre, ni à son amante, quand vient le mot amante, ni à la Chammelé quand il écrit Hermione. Il a écrit le songe d'Athalie, et pourtant il rêvait. Il ressent seulement l'aise de son talent et la responsabilité de se voir devenu le fournisseur attitré de son siècle et de son roi. Chambellan du troupeau tragique, il a toujours choisi ses héroïnes sur leurs quartiers de noblesse ou de beauté, avant de savoir ce qu'elles allaient personnifier. Andromaque, Monime, Phèdre ont été d'abord embauchées sur leur apparence et leur teint, et en bloc, comme des danseuses. On ne peut avoir créé des rôles aussi parfaits, aussi aptes à utiliser, à leur point extrême, les qualités des actrices et des acteurs que par le métier, et non par le hasard de l'inspiration. De là vient d'ailleurs, par la revanche de ce métier, que Racine, dominant ses tragédies comme un potier ses vases, reprend à un niveau inégalable la figure de créateur que les autres ont cédée dans leur lutte ou leur camaraderie avec leur œuvre. Mais de là vient aussi que les explications ou les commentaires littéraires sont les seuls qui permettent d'approcher et les seuls qu'eût volontiers écoutés le poète pour lequel on aurait pu graver l'épitaphe suivante : Ci-gît celui qui ne se posa jamais la question de Dieu, ni de la connaissance, ni des esprits animaux, celui pour qui n'existèrent ni les problèmes de la politique, ni ceux du blason, ni ceux de la morale : Ci-gît Racine.

La question du théâtre ne se posait même pas à l'époque où Racine commença à écrire. Racine disposait à ses débuts de sa scène et de son public. Il eût été fâcheux d'ailleurs qu'il perdît son temps à reformer et à innover. Le théâtre est un microcosme où doivent éclater à leur plus grande couleur et leur plus grande passion les penchants, les facultés, les perfectionnements poétiques, moraux et sensuels d'une époque, mais il ne peut créer des organes de réception chez le spectateur, il les présuppose. Un siècle littéraire, une époque littéraire peut se clore par une époque théâtrale ; il ne débute jamais par elle. Le bon théâtre est un entassement de perfection et, si le lecteur cherche dans sa lecture des révélations, le spectateur ne désire dans son spectacle que des jouissances. Cela exclut donc du vrai théâtre toute manifestation qui prend ses indications du théâtre qui l'a précédée et non de la vie dramatique telle que la crée l'actualité, qui n'a pas la lumière suprême de son époque donnée par les courtisans en tenue de cour ou par les derniers projecteurs, qui n'a pas le jeu le plus moderne, tel que l'ont fait gymnastique et phonétique, et enfin le style et les motifs d'une poésie, d'un roman ou d'une musique bien adultes. Le grand théâtre est celui qui convainc des esprits déjà convaincus, qui émeut des âmes ébranlées, éblouit des yeux déjà illuminés, et qui laisse à son terme les spectateurs avec l'impression d'une preuve, la preuve de leur sensibilité et de leur époque. C'est en élève soumis à la mode et aux lois du genre que Racine entre dans le théâtre. Il y est venu comme Louis XIV lui-même, et par bonheur en même temps. Chez le jeune roi, l'excitation du pouvoir absolu, l'admiration d'une cour inégalable, devaient forcément amener au degré le plus haut de la parade et de la religion royale, au spectacle. Chez ce jeune écrivain, l'effervescence et l'orgueil poétique conduisaient fatalement au seul genre qui isole suffisamment l'auteur de la masse humaine, à l'art dramatique. Un auteur élégiaque communique avec tous les autres élégiaques par mille réseaux ; il est pris, et ses lecteurs aussi, dans une même vague de sensibilité ; c'est l'élégiaque le plus solitaire qui se livre, contrairement aux apparences, à l'opération littéraire la plus publique. Le lyrisme et l'effusion sont des jeux de piscine. Mais le poète dramatique s'isole durement vis-à-vis de la foule, non plus des collègues en émoi, mais des spectateurs, et le jeune Racine, dans le désir à la fois d'une propreté personnelle et du succès, devait courir rapidement à cette personnification de soi-même, qui allait pendant dix années encore le préserver de la vie. Il s'y précipite. Il ne songe pas plus à perfectionner les organes du théâtre qu'un assassin le poignard que d'honnêtes couteliers lui ont forgé. C'est au sang que court l'assassin, et le jeune Racine. Toutes ces précautions de vraisemblance qui s'appliquent à des œuvres fabuleuses, il s'y soumet. Jamais aucune novation, aucune technique, aucune formule nouvelle. Il joue le jeu suivant les règles déjà assises. Il abandonne aussitôt toute une partie des héros de son imagination, Théogène, Chariclée, et sans doute Daphnis, sans doute Chloé, tous ceux qui l'auraient conduit vers un genre où la relativité poétique, le jeu avec les sentiments auraient eu une part trop grande, vers la tragi-comédie, à laquelle il avait pensé un instant. Qu'aurait-il fait d'un genre mourant, et mourant dans les sourires et les grâces? Si la tragi-comédie se scindait tout d'un coup en tragédie et en comédie, ce n'était pas seulement parce qu'Aristote l'emportait, ni parce qu'il fallait décidément séparer, pour des motifs d'hygiène littéraire, les héros destinés à la mort, des héros destinés au mariage. C'était pour la raison qui, aux grands siècles, change les poètes idylliques en poètes lauréats, et les prédicateurs à discours pittoresques en grands orateurs. C'est en raison de cette entreprise, commune à toutes les grandes époques optimistes, qui consiste à bannir, le plus de minutes possible, le plus profondément possible, le rire de la face humaine. Les siècles de civilisation parfaite comportent de façon absolue ces assemblées, où un spectacle sévère et tragique repasse et purifie le soir les faces que la journée a trouvées spirituelles ou ricanantes. Pas un rire, pas un sourire dans toute l'œuvre de

Racine. Jamais le masque de la face humaine n'a été plus respecté et plus rigide. C'est vraiment la messe du siècle humain et mondain.

Sur cette scène devenue une espèce d'autel, Racine pouvait devenir sans difficulté le poète qui a le plus rapproché la tragédie du sacrifice humain. Ce cannibalisme que les Grecs se réservaient vis-à-vis des dieux, demi-dieux et héros, qui jusqu'à la Renaissance fut ensuite entretenue par la Passion, et auquel s'abandonnèrent après Jodelle sur des proies panachées tous les tragiques français, c'est Racine qui le rendit le plus réel et fit ses héros des éléments les plus voisins de la vraie chair et du vrai sang. On peut s'étonner qu'il ait été choisir des victimes aussi vivantes dans l'antiquité. Contrairement à ce que l'on peut croire, la mode était au contraire, vers les débuts de Racine, aux pièces européennes, aux personnages presque modernes. De Corneille à Rotrou, de Prévost à Borée, tous les poètes tragiques essayaient justement de se soustraire à l'air classique et de donner à la France une mythologie rajeunie et nationale. Racine ne s'en soucia pas. Il lui eût fallu pour cela changer d'univers. Il lui eût fallu tuer des héros qui n'étaient pas ses amis de toujours, sacrifier des femmes avec lesquelles son enfance ne s'était pas écoulée ; bref ne pas se soumettre soi-même au martyre et à ces affres de désolation familiale qui relient pour nous encore la figure de Racine à chaque visage de ses héroïnes. Car c'est avec elles qu'il a eu ses vraies liaisons, et depuis ses premières lectures ; cette expérience terrible, il l'a tirée, non d'amours bourgeoises avec une actrice honnête, mais de la vie de passions qu'il mena, entre douze et vingt ans, avec la complicité de maîtres qui ne purent en effet, plus tard, lui reprocher Phèdre, puisqu'ils la lui avaient donnée eux-mêmes comme camarade de jeu et de communion.

Ils ne s'étaient évidemment pas rendu compte du danger, et ne faisaient que suivre des errements centenaires. C'était l'éducation religieuse en effet, qui avait créé, à côté d'elle, l'éducation classique et païenne. C'était des papes, des moines, les membres des ordres les plus austères, qui avaient fondé et légitimé pour Racine, à côté du monde chrétien, dont tous les héros ne pouvaient être que chrétiens, un monde à héros profanes. Il se trouvait que, différant en cela de toutes les religions, musulmane, bouddhique, juive ou autre, la religion chrétienne admettait, près de l'âme de piété, une âme d'imagination, avec des martyrs, des saints, des démons de l'imagination. Par une volonté préméditée, en apparence étrange, le futur défenseur de Dieu et de Jansénius, après la prière et l'histoire sainte, entrait subitement dans un univers de sacrifices humains, d'inceste et d'adultère, et y circulait à l'aise sous l'œil des régents. Il était même admis que ces faux êtres et ces faux événements avaient laissé des traces sur la terre. A toutes ces inventions de l'esprit correspondaient des pierres, des pays, et devant le tombeau apocryphe de ce Pylade qui n'avait jamais existé, de cette Penthésilée modelée dans le néant, il lui était licite d'éprouver un vrai deuil. Les héros véridiques de l'histoire, pour pénétrer dans ce domaine, devaient même abdiquer tout ce qu'ils contenaient en vérité, qu'ils s'appelassent Alexandre ou Mithridate, et, dévêtant leur suaire historique, se soumettre à un embaumement classique. Pour ce petit chrétien instruit, personnage éternel, né de Dieu et voué à l'immortalité, les symboles du courage, de la douceur, de l'amitié, étaient des êtres dont la mort était totale, et dont aucun sacrement n'éclairait la vie, Achille, Iphigénie, ou Pollux. La nature entière profitait aussi de ce privilège. Les meubles du monde eux-mêmes, pourtant baptisés, soleil qu'avait arrêté Josué, étoiles qui avaient cligné sur la nativité, fleurs et montagnes auxquelles l'Écriture avait donné une vie exaltée et des bondissements, étaient autorisés à revêtir pour l'heure classique une mascarade dorée et à absorber une âme vivante qui les repoussait, de cette place extérieure et fortuite que leur donne l'église, dans une nature où ils devenaient des organes nécessaires et redoutables. Il est un peu rapide de dire que les maîtres pensaient développer ainsi une intelligence destinée en dernier ressort au service de Dieu. On pourrait affirmer tout aussi bien que les établissements religieux encouragent la gymnastique et les sports pour que les martyrs montent allégrement en croix ou offrent aux lions du cirque une nourriture plus saine. La vérité est que les éducateurs favorisaient sur lui, comme ils l'avaient déjà fait sur d'autres, cette tendance à faire des passions un spectacle plutôt qu'une réalité, à les éliminer sur des noms illustres, à refouler sur des héros célèbres, mais irréels, les accès et les inconséquences de l'âme, et à créer, autour du cœur, par un firmament de héros, une astronomie et une physique des sentiments tout aussi artificielles et tout aussi inutiles à la vie pratique que l'astronomie véritable. Toutes ces pièces d'inceste ou d'ambition que le catholicisme applaudissait, *Œdipe*, *Phèdre*, *Agrippine* ou *Médée*, c'était en quelque sorte les accès de pudeur ou de modestie de la confrérie chrétienne... On avait évidemment compté sans Racine... On n'avait pas prévu que cet enfant devait forcément choisir, entre deux mondes dont le réel, vide de parents et d'occupations, n'était pas le moins imaginaire, celui dont il ressentait les passions et dont il épousait la vie. C'est là tout le réalisme de Racine, et c'est d'ailleurs là toute l'histoire du réalisme français, car c'est aussi l'amour et le respect de la vérité qui a détourné nos grands poètes épiques et tragiques de constituer à la France un Walhalla avec ses propres citoyens. Cela a eu pour résultat de laisser nos héros dans notre réalité, dans notre vie, et à notre hauteur d'homme. La réalité, la finesse, la perfection du jugement humain des Français vient justement de ce qu'ils n'ont jamais voulu couper leur histoire et le développement naturel de leur esprit par un de ces verres réfringents ou colorés que pose l'imagination sur d'autres races. Entre Bayard et nous, entre Charlemagne et nous, il n'y a pas interposition d'une atmosphère artificiellement truquée ou échauffée, fût-ce par le génie, et jusqu'aux rois sanctifiés eux-mêmes, comme saint Louis, demeurent nos contemporains et nous commandent un respect familier. Il n'est né de la nation française aucun de ces êtres légendaires et irréels qui ornent les autres civilisations, et ce moyen âge qui fournit à l'Allemagne des êtres divins par douzaines nous fournit au contraire des séries d'êtres étonnamment humains. Nos êtres les plus fabuleux sont nos héros les plus réels, Vercingétorix, Jeanne d'Arc, Napoléon. Tous ces héros qui ont émigré de France pour être les personnages mythiques d'autres pays, Guillaume le Conquérant, La Fayette vivent encore chez nous une existence bourgeoise et précise. Cette impuissance, ou ce refus, à créer de la légende, — si évidente encore chez les romantiques, puisque le héros, à carrière à peu près analogue, créé par le romantisme allemand s'appelle Siegfried et par le romantisme français

Julien Sorel, aboutit, comme dans notre sculpture, à doubler au contraire la vertu humaine de nos héros, et leur donne, entre eux et avec nous, une sorte d'égalité qui fait vraiment de notre terre celle des égaux. Tous ces Clovis, ces Pharamond, ces Gaston de Foix, ces Henry le Grand dont se peuplait alors notre scène, Racine se déroba à leurs invites justement parce qu'ils appartenaient à la race de ses parents, et non de ses compagnons : parce qu'il ne les connaissait pas. Ce que ses héros et ses héroïnes ont de plus vivant que les autres, ceux de Corneille par exemple, c'est qu'au lieu de nous donner l'impression d'être improvisés, comme le Cid ou Polyeucte, ils nous donnent celle d'être longuement mûris et chauffés au soleil de cet autre monde. Leur vie est en raison directe de leur longue absence de notre vie, et alors que tous les autres héros ne semblent avoir connu qu'une saison des limbes tragiques, la chair d'Andromaque, de Bérénice, de Phèdre en a connu le printemps, l'été, et la désolation.

Que serait allé faire d'ailleurs Racine dans un monde où la pitié existait ? La religion catholique a rejeté au-delà de Jésus-Christ les sources vraiment pures de malheur. La pitié, ce remords ressenti par un autre que le coupable, cette rouille sur le métal des passions, cette liberté unique que Dieu a laissée aux hommes, le seul jeu entre leur départ et leur but, c'était bien le dernier mobile que Racine pouvait admettre. Ce que l'on appelle sa pureté vient justement de ce qu'il a purifié les grands sentiments, haine ou amour, de ce sentiment équivoque. Chez Racine les êtres faibles ou malheureux n'inspirent pas de pitié, les êtres doux n'éprouvent pas de pitié. Ange adossé à la terre des bonheurs et des conciliations, Racine ne permet à aucune de ses créatures d'y revenir, fût-ce pour une heure, et il double leur égarement, par mesure supplémentaire de prudence, d'entêtement et d'obstination. Car dans tout son théâtre, pas une seule personne n'est convaincue par une autre. Les êtres hésitants, Roxane ou Néron, n'hésitent ni par pitié ni par réflexion, mais par hypocrisie ou par cupidité. La lâcheté non plus n'y existe pas, car elle aussi est une sorte de pitié, égoïste ou altruiste. Il suffit d'un lâche pour détendre le drame le plus tendu, et lui-même n'est qu'un mauvais ressort. Or, contrairement à ce qui se passe dans Corneille, le personnage dans Racine est toujours plus tendu que le drame et ce drame ne semble pas être, comme on l'a dit, la crise finale ou le paroxysme de la passion de ces héros, mais presque leur état habituel. Il nous est difficile d'imaginer Polynice, Hermione, Phèdre, Oreste ou Athalie dans des moments doux et tranquilles. Ils ne les ont pas eus dans la vie. Ou, tout au plus, le drame, au lieu d'être l'accident imposé à de paisibles et innocentes familles, au Cid le sympathique, aux braves Horaces, au bon Polyeucte, est une de ces conflagrations hebdomadaires qui surgissent dans les familles passionnées. Tous les héros de Racine forment une seule famille effroyablement dramatique dès avant le drame. L'orage est moins impitoyable sur les *Hauts de Hurlevent*. La catastrophe ne se résout jamais par une solution, mais par extinction. Phèdre prend fin parce que Phèdre et Hippolyte, Andromaque parce que Hermione et Pyrrhus, Bajazet, parce que Bajazet et Roxane sont morts, la Thébaïde parce que tous sont tués et qu'il ne subsiste sur la scène que des figurants. Dans l'enfer de Racine, toutes les ombres de ses héros morts se retrouvent avec des passions terriblement intactes et peuvent reprendre aussitôt entre ombres leur lutte obstinée, tandis qu'on sent la querelle du Cid et de Chimène conclue là-haut à leur grande satisfaction, et qu'Horaces et Curiaces s'y reçoivent les mains tendues. La passion, chez Racine, est vitale et incoercible. De là vient la joie avec laquelle il a écrit *Esther* et *Athalie* : il a enfin trouvé une fatalité plus impitoyable que la fatalité antique, dont l'incroyance grecque et l'horizon poétique tempèrent la virulence. Il a trouvé son peuple. Il peut, avec les Juifs, troquer son Destin grec contre un Jehovah qui, en plus de la cruauté native de Zeus, a sur les hommes des desseins précis. Il trouvait des êtres qui, outre leur fatalité particulière, portaient encore une fatalité générale. Il trouvait enfin leur raison à ces créatures douces et maternelles appelées ici Josabeth : c'était de voir mourir avec joie une vieille femme ennemie dans les supplices. Il pouvait enfin confier à un enfant la haine et la cruauté. C'est en cela qu'est la vraie unité du théâtre de Racine, et qu'elle rend inutiles les trois unités : en tout lieu, en tout temps, à toute phase, l'intrigue serait la même pour ces personnages, qui n'ont pas ces souvenirs d'enfance et d'innocence, ces aventures courantes communes aux hommes, qui n'ont jamais vécu dans le domaine où s'opère la réconciliation et se manifeste l'égalité, qui n'ont que des souvenirs de passion. Racine a trouvé l'altitude parfaite de la tragédie, c'est celle des grands meurtres. Les âmes noires y volent à toute allure et à leur plafond le plus haut. A cette unité forcenée, Racine en ajoute même une autre, par laquelle toute issue vers la liberté ou l'ignorance est barrée aux personnages : l'unité de famille. Tous ses héros se connaissent à fond. Alors que chez Corneille ou Molière, la scène est un carrefour passager qui permet et force les rencontres d'occasion, elle n'est chez Racine que le sanctuaire de famille, ou la cage centrale. Les héros s'y rencontrent rarement exprès, ils s'y heurtent sans cesse. Une scène chez Corneille est un rendez-vous officiel où l'on discute avec l'espoir d'une transaction. Chez Racine, c'est l'explication qui clôt provisoirement une série d'allées et venues de bêtes en fureur. Rien ne devait donner une impression plus profonde de vérité aux Français, peuple où les tragédies publiques et romantiques sont plutôt rares et où la passion se garde pour les démêlés domestiques. Entre Elvire et le Cid, entre Camille et son frère, Polyeucte et sa femme, il n'y a qu'un apurement de grands sentiments à opérer, et quand ils se sont quittés, ils se sont tout dit. Les scènes dans Racine sont aussi indéfiniment renouvelables que des repas de famille. Les gens sont si peu disposés à les faire cesser, comme dans les vraies familles, où chacun exerce et stylise sa cruauté par des manœuvres quotidiennes, que le signal de la fin doit être donné de l'extérieur, non par une décision du personnage, ou la révélation d'une vérité psychologique, mais par des tiers assassins ou par la catastrophe. L'amour par exemple chez Racine ne provoque jamais une lutte pour gagner un fiancé ou une fiancée, c'est un débat au milieu d'une terrible liaison. Et quelle liaison! Tout le théâtre de Racine est un théâtre d'inceste. Cette impression d'inceste qui se précise dans *Phèdre* plane sur toutes ses tragédies principales, Roxane veut son beau-frère, Mithridate sa double belle-fille, Oreste sa cousine, Néron sa belle-sœur. Pyrrhus lui-même, Titus lui-même, habitent avec leur amante, dans une équivoque promiscuité. Inceste du crime aussi : Athalie veut tuer son petit-fils, Agamemnon sa fille, Etéocle et Polynice leur frère. C'est l'inceste qui a attiré Racine vers le sérail. Les personnages qui aiment simplement des jeunes filles éloignées d'eux par le sang et le domicile, Bajazet, Britannicus, Aricie, sont soustraits à cette lumière racinienne et tout prêts à abandonner leur lien à Racine pour un lien à Quinault. Racine sait bien que rien ne se propage plus terriblement dans la famille que la passion, si ce n'est la tuberculose ; et, s'il exagère cette dose de promiscuité familiale, ce n'est pas seulement pour que l'on sente tous les acteurs graviter autour du hall central, mais parce que tout recours est ainsi enlevé au héros, tout conseil, toute solitude. Une cloison seule sépare les nuits toutes les héroïnes de Racine de celui qu'elles aiment et de celui qu'elles abhorrent, et le bouillant Pyrrhus de la froide Andromaque. Tout répit leur est ôté, le harcèlement est continu ; le même cuisinier les nourrit, la même blanchisseuse surveille leur linge, les mêmes bruits les réveillent. Elles n'ont plus pour dissimuler leur amour que la haine et que les scènes. Elles n'ont plus, comme perspective d'avenir, que la mort, et non pas le retour paisible de l'amante déçue ou adultère vers un cercle ignorant, vers un autre logis. Une fois que le héros de Racine entre en scène tous les ponts sont coupés derrière lui et, à sa première parole, il est condamné.

Nous touchons ici au point le plus clair de l'art de Racine et d'où s'explique de soi-même sa vérité. La vérité de Racine ne vient pas de ses sujets, ni, comme on l'a dit, de ce que l'on peut réduire chacun d'eux à un fait divers. Cette réduction peut s'opérer aussi bien pour les sujets de Corneille : le Cid c'est la vendetta, Polyeucte c'est Lourdes. Mais, de cette terrible connaissance réciproque qu'ont les héros de Racine, résulte entre eux une simplicité absolue. Leur personnage ne comporte pas l'accessoire, ni en pensées, ni en actes, ni en costume. Ils n'ont à se dissimuler sous aucune fausse apparence, sous aucun manteau. Jamais héros ne se sont souciés aussi peu de leurs épées, de leurs colliers, de leurs soques. Ils ne parlent de leurs voiles que pour s'en plaindre. Ces élégances morales et physiques qu'on devine aux héros de Corneille et même de Molière, ces affêtements, ces charmants cache-sexe stylisés qui se distribuent dans Gœthe et dans Shakespeare à toutes les héroïnes, ici rien n'en existe. Dans aucune œuvre d'art, les corps nus des héros n'ont été aussi distincts de leurs vêtements. Tout le vestiaire d'Agnès et de Chimène apparaît à leur nom, et la ceinture cachée de Desdémone, et le décolletage en pointe de Marguerite ; au nom d'Andromaque ou d'Iphigénie, ou de Phèdre, seulement leur chair ; et, de son côté, le spectateur, au lieu de sentir seulement sur soi la parure qu'y ajoute un beau spectacle, se sent un nouvel épiderme. Diminués de tout pittoresque extérieur et intérieur, tous les héros raciniens s'affrontent sur un pied terrible d'égalité, de nudité physique et morale. On ne peut s'empêcher de penser à l'égalité des tigres, et c'est une égalité et une vérité de jungle, d'autant plus que sous cet aspect de bête de luxe, dans cette nudité animale, ni Phèdre, ni Hermione n'ont ce souci du spectateur qui semble dominer les héros de Corneille. Il est gênant pour elles, et lui-même n'écoute que par une indiscrétion suprême dont Racine lui a donné la force. Alors qu'on soupire d'aise quand le Cid retrouve Elvire, une impression de gêne vous étreint quand Phèdre se place face à Hippolyte, quand Roxane agrippe Bajazet, et la discrétion, en effet, consisterait alors à partir et à les laisser seuls.

A des êtres ainsi vrais et dont la parole jamais n'est un raisonnement ni un exercice, il fallait trouver, non un langage, mais une modulation. Qu'une distance quelconque subsistât entre le sujet et le revêtement poétique, et la vérité de Racine se voilait. Sur ce point Racine n'a pas été moins réel. Depuis la Pléiade subsistait, entre la pensée et l'habillement verbal, une espèce de plèvre joyeuse et redondante, qui était l'humeur même du poète. Hardy, Auvray, Corneille, Rotrou sont partout à l'intérieur de leurs œuvres, non à la façon des romantiques en les construisant de leurs souvenirs ou de leurs aspirations, mais par cette emphase, ce bavardage, ce romanesque Louis XIII qui emplit leurs vers les plus romains de cavernes et de ludions poétiques. Rien de semblable dans Racine. Le bombage de la poitrine, l'exagération, le bouillonnement dû à l'euphorie créatrice, est vraiment réduit au minimum. Il a retiré du vers tout ce qui était personnel au poète, et du souffle créateur ne reste aucune bulle dans ses œuvres. Jamais aucune création de la poésie humaine n'a été aussi peu marquée, et n'a revendiqué aussi peu le brevet d'un homme ou d'une époque. Aucune de ces arabesques que Dieu lui-même s'est permises en créant les gazelles et les poissons-chats. Jamais la parole n'est soufflée au héros par un auteur de génie. Jamais cette impression de ventriloquie sublime que jusqu'à lui et depuis lui nous ont toujours donnée tous les tragiques français. Lorsque des images ou des métaphores se présentent, leur effet est prodigieux, car elles ne sont pas les granulations poétiques d'un esprit inspiré, mais la parole même d'un héros, mais le reflet, l'éclat, le crépitement causés par la fable en heurtant sa peau divine à notre atmosphère. La métaphore n'est pas comme chez ses devanciers un paraphe, une provocation poétique, un léger accès d'oubli de la réalité, ou un épanouissement, mais le moment où le langage humain se change, en raison de l'élévation de l'acoustique et de la tension poétique, en le langage de la poésie même. Cela est si vrai que les plus belles métaphores de Racine ne sont pas réservées aux rôles principaux, mais à des comparses, à Pharnace, à des confidents ou des valets. L'examen du vocabulaire confirme cette constatation. Chaque mot français avant Racine avait une vie personnelle et presque une vie de fête. Une espèce de fierté de parvenu, de jeunesse, le gonflait. Il ne s'unissait aux autres qu'avec des grâces, des retraits. Tous les vers français avant Racine flottent autour de la bouche de leur poète, et peuvent s'y inscrire dans une de ces banderoles qui partent des lèvres. Racine ne récite pas, Racine ne dit pas. Tous ses vers sont choisis, non dans un dictionnaire de beautés, mais de silences. Ils n'entrent pas en vous pour y former, à mi-chemin des lèvres et du cœur, un goître du sublime. Aucun ne suppose ces glottes, ces pharynx, ces cordes que l'hôtel de Bourgogne graissait d'aramon. Ils sont sans faux échos, sans vrais échos. Ils ne vous font aucun signe, ils ne vous inspirent aucune action. Déliés d'affublements équivoques et de liaisons louches, le nom, l'adjectif, le verbe reprennent leur valeur absolue, et vierges, amantes, épouses qui, chez les autres poètes, se donnent corps et âme au vocabulaire, ne se confient dans Racine qu'à la syntaxe. Jamais génitifs n'exprimèrent plus délicatement et plus impérieusement la dépendance, possessifs la possession, relatifs la relation. Tous les mots de Racine, comme Racine, ont été vingt ans retirés du monde dans une solitude et une chasteté passionnées, et les rencontres entre les termes les plus ordinaires ont une valeur et une retenue nuptiales. De cette distance infiniment réduite entre l'expression et le sentiment vient à la fois, comme du langage pur et digne, si semblable d'ailleurs au langage de Racine, des enfants opérés qui s'éveillent sous le chloroforme, cette impression de vérité et de vie nouvelle.

Telle est l'existence littéraire de Racine, dominée par une fatalité poétique si grande qu'à première vue, tant les destins se ressemblent quand ils méritent le mot destin, elle peut paraître modelée par le jansénisme. En fait, elle n'a communiqué avec la fatalité humaine de Racine qu'à l'époque où elle le lui livrait. Le silence subit du poète n'a pas besoin d'autre explication. Cette œuvre dénuée d'angoisse séculaire, de scrupule, de morale et de réminiscence ne pouvait se soutenir dès que l'auteur, — non pas s'élevait à la vertu ou aspirait à quelque ordre de pensées supérieur, — mais simplement entrait dans la vie. Dès que la part d'inconscience indispensable à Racine pour mener à bien sa fonction d'archange et de bourreau eut fondu en lui, il n'y avait plus aucune chance pour que sur cette vie bourgeoise soudain constituée, avec fonction royale, avec jugement moral, avec femme et enfants pieusement conçus et élevés, se superposât la cruauté et la virginité littéraires. C'est pour cette raison qu'il a cessé d'écrire : parce qu'un beau jour il a cessé d'être écrivain. Parce qu'il n'avait plus rien à dire, disent quelques-uns ? Ce serait le premier écrivain qui eût cessé d'écrire pour ce motif. C'est au contraire que la connaissance de la vie lui venait, sous ses formes les plus banales comme les plus pathétiques, avec enfants, roi et tumeur, avec les émotions et les luttes que les fonctions de courtisan et d'être mortel comportent, et parfois même sous l'aspect d'un genre qui n'avait pas cours à cette époque sur la scène, du drame. Dans la vie de chacun de nous, les actes tragiques ne correspondent pas toujours aux points critiques de notre destinée, et jamais cet écart n'a été poussé plus loin que dans la vie de notre plus grand poète tragique. Si Racine s'est tu après *Phèdre*, ce n'est pas que *Phèdre* fût par nature la dernière de ses pièces. Elle était au contraire la première d'une série terrible, et le malheur pour nous est que le poète ne se sentit pleinement déchaîné qu'au moment précis où sur l'homme une coalition de préjugés, d'amis, d'ennemis, de devoirs et de responsabilités passait tous ses liens. Il se découvrit à la fois régisseur d'un monde terrible et serviteur zélé d'une cour. La tragédie de Racine commençait, et comme toutes ses tragédies, elle ne pouvait finir que par une mort, celle du poète lui-même. Il n'y a pas eu silence, mais suicide. On ne peut pas dire que pendant les quinze années les plus belles du grand siècle le plus grand poète français se soit tu : Racine ne se taisait pas, il n'existait plus. On sait ce qu'est le silence d'un poète, on en devine les nuances, la volupté constante : le silence de Racine était celui de la pierre. Il n'était pas un bavardage avec soi-même comme le silence de La Fontaine ; il n'était pas gonflé d'échos, de rimes, de contractions d'âme belles comme des rejets, de plénitudes aussi absolues que des distiques dont les deux vers ont été conçus à la même seconde. Il était une sérénité, une surdité, le refus continuel de changer l'atmosphère en un précipité poétique. Alors que chez La Fontaine silencieux, chez Vigny silencieux, il suffisait, pour que ce silence se muât soudain en harmonie, d'un consentement physique au cerveau et au sang, pour rompre le silence de Racine il fallait un jugement et une décision morale qu'il ne daignait plus prendre. La granulation de l'âme en hexamètres ne s'opérait plus. Le français le plus pur qui ait été écrit n'était plus pour Racine le langage parfait, mais le dialecte d'un pays qu'il avait abandonné. Les transes spirituelles, qui sur le siècle et le paysage parisiens déposaient un brouillard et un modelé antiques, avaient fait place à la froideur. Non seulement Racine, mais toutes les voix raciniennes s'étaient tues, et, dans ce monde qu'il avait créé, pour Racine seul. Le style racinien même lui est devenu étranger, il l'a oublié : dans *Athalie*, il emploie des hexamètres entiers d'*Andromaque* ou d'autres pièces, tant il s'est peu relu depuis dix ans. Changé en homme dur au milieu d'un univers mué en monde insensible, il n'était pas étonnant que son mutisme fût absolu. Pour cet homme, qui s'était marié, attiré plus par le sacrement que par le mariage, il y avait, dans la conception et la paternité littéraires, une part d'illégitimité qui devenait insupportable et dont il rougissait. Il n'aimait pas que ses enfants légitimes dont le nombre d'ailleurs était exactement celui de ses tragédies de la période heureuse, lui parlassent de leurs sœurs bâtardes. On a l'impression qu'il avait également restitué aux vicissitudes de la vie banale et mouvante cette figure de femme qu'il avait prétendu confisquer pour une jeunesse sans fin, qu'il redonna dans son esprit à ces héroïnes figées dans la splendeur le chemin libre vers la mort, que seul entre tous il a vu Andromaque avec des cheveux gris, puis blancs, Roxane bouffie et ridée, Phèdre ataxique. En lui seul cette forme qu'aucun âge n'a effleurée se mit à vieillir, et c'est elle qui devint Athalie. C'est cela, c'est cette vieillarde, que sont devenues Hermione, Bérénice, du fait seul que la vie ayant enfin touché Racine, la mort touchait ce qu'il avait créé. Il avait pour ce monde d'imagination que nous avons dépeint la dureté que donne la responsabilité de la vie et quelque haine. Il est faux de dire que sa conscience catholique l'ait détourné d'écrire. Elle le lui eût bien plutôt ordonné. Tout chrétien a le devoir d'utiliser les dons que Dieu lui a donnés, et Racine ne se cachait pas qu'il avait quelques dons d'écrivain. Dieu défend seulement de jouer à la fois, par le doute, sur la littérature et sur Dieu. Il défend à l'écrivain de prendre de la littérature une idée inférieure, d'y glisser subrepticement, pour essayer de l'ennoblir ou de la justifier, la religion, et de greffer son système nerveux littéraire sur le système divin. Dieu n'aime la littérature que littéraire, de même qu'il n'aime la philosophie que théorique. Racine avait donc tout le droit et à ses propres yeux, ou bien de continuer à écrire, dans cette inconscience chrétienne qui écarte toutes les brumes autour de l'écrivain par une atmosphère pure qu'il n'est pas désagréable de voir d'en haut, ou, utilisant son talent pour la louange de Dieu, de se donner à ce journalisme divin qui a fait, avec quelques grands poètes, les prophètes et les grands prélats. Non. Racine se taisait parce qu'il n'était plus écrivain, et, pour le faire parler à nouveau, il était bien évident, puisque cette tendresse et les passions imaginaires qui l'avaient autrefois inspiré étaient périmées, qu'il fallait au moins une passion réelle, et que l'objet même de cette passion fît appel à son ancien talent. C'est, par bonheur pour nous, ce qui eut lieu. Il advint que Racine éprouva la seule passion qui puisse fondre sur une âme bourgeoise dure et volontairement bornée. Il aimait le roi. Il l'aimait dans sa personne, dans son essence. Cette délégation que Dieu donne aux rois permet à toute âme chrétienne d'exercer, non seulement impunément, mais même avec noblesse, tout ce qu'elle peut contenir d'idolâtre et de païen. Un roi est l'idole autorisée par Dieu. Dieu détourne sur lui les sentiments dont l'outrance jure aussi bien avec l'humanité qu'avec le créateur, dévouement, tendresse, soumission physique. Entre l'amour pour Dieu et l'amour pour le souverain aucune de ces concurrences que présentent les autres passions. Dieu décline la tendresse : aujourd'hui encore, dans les royaumes les plus démocratiques, c'est de la tendresse qu'éprouvent pour le roi et le prince héritier les garde-barrières et les avocats d'affaires. Un roi, et le cœur n'est plus jamais seul. On lève, on couche son roi comme une poupée adorée. Son sourire, sa bonne humeur, son portrait en grand uniforme, éclairent la journée comme des présages. L'éducation et les goûts de Racine le préparaient à ce rôle de prêtre païen. Pour lui plus que personne, les mots les plus simples du roi, son froncement de sourcil ou sa gaieté, semblaient venus de la naissance même du sourire, de la colère, du raisonnement, et relier seulement les gestes et les paroles à leur prototype divin. Privilégié par la nature qui lui avait donné à sa naissance la ressemblance que les bourgeois n'obtiennent qu'avec des soins quotidiens, il considérait ce visage, son propre visage divinisé, comme ce qu'il y avait de plus différent de lui-même et de plus éloigné : il l'aimait, avec ce que comporte l'amour, affres, délices, et mort. Ainsi s'expliquent *Esther* et *Athalie*, et ces deux poèmes soudain dans cette insensibilité. De l'île où elles étaient depuis dix ans prisonnières, toutes les amazones raciniennes débarquèrent un beau jour, et chez des vierges... Le destin ne déteste pas, après les avoir séparées brutalement, redonner quelques semaines, pour une fois et dans un leurre suprême, avant l'exil et le cancer, les grandes âmes à leur grand exercice.

CHODERLOS DE LACLOS

Vers 1782, le siècle finissant pouvait espérer ne laisser aucune preuve trop scandaleuse de sa liberté. Ce qu'il allait léguer au siècle nouveau, après soixante années de sécheresse et de rouerie, c'était *Manon Lescaut* et la *Nouvelle Héloïse*. Une Moll Flanders parfumée et enrubannée, deux héros naïfs et d'ailleurs suisses, tels allaient être pour la postérité les tableaux de famille de Lassay ou de Richelieu. Il est des sortes de civilisation qui ont été des secrets, qui sont restées des secrets, que n'ont trahies aucun des milliers ou des millions d'êtres qui participaient d'elles. L'évidence du XVIIIe siècle, la franchise de ses mœurs, le complet dévêtement d'âme auquel il était parvenu risquaient de rester des secrets, grâce à la courtoisie et à l'obséquiosité de la courtoisie orale ainsi qu'à la connivence, achetée ou inconsciente, des écrivains. Alors que les Rose-Croix, les Francs-Maçons, toutes les sociétés prétendues hermétiques et leurs dogmes chiffrés étaient décrits et dévoilés dans cent pamphlets, la société par excellence, la société française, avait seule réussi à donner à chacun de ses membres les habitudes d'un membre de club, et toute attaque de l'un d'eux contre elle eût moins ressemblé à un jugement qu'à une incongruité. L'entente, la complicité tacites de deux Français vis-à-vis de la religion, de l'amour, du trépas, étaient aussi absolues et réglées que celles de deux personnages du marquis de Sade vis-à-vis de l'emploi du fouet ou de la présence de la mère, mais leur publicité même les rendait naturelles et invisibles. Tandis que dans l'âge précédent, âge de mérite et de vertu, c'était au sein même de la civilisation que se dressaient les vengeurs, et que le drame résidait dans la lutte d'une noblesse contre une autre noblesse, Bossuet contre la grandeur du monde, Racine contre la grandeur du cœur, Pascal contre Pascal, le prestige de ce club auquel se vantaient d'appartenir à titre de membres simples les rois et les impératrices étrangères était tel qu'aucune des tentatives faites pour en révéler et en stigmatiser les messes noires publiques et éclatantes n'avait atteint son objet. Celles qui paraissaient présenter quelque danger, celle de Rousseau par exemple, étaient aussitôt habilement travesties en prophéties ou en représentations mondaines. Un club de jeu ne redoute personne moins que les prophètes, et celui qui vient annoncer la fin du monde semble presque de mèche avec ses directeurs. Ce qu'il redoute, c'est la dénonciation. Or pas un seul des écrivains du XVIIIe siècle n'avait osé être ce dénonciateur. Pas un seul des écrivains moraux par profession, comme Marmontel, ou par vocation, comme Diderot ou Mirabeau le père, qui ne fût, vis-à-vis de sa civilisation, un mari cocu et content. Elle le trompait sur tous les canapés, et déjà sur la lisière des parcs anglais, mais il ne perdait aucune occasion d'en célébrer la vertu à ces deux autres modèles de chasteté et d'altruisme, dont les noms assemblés forment le plus joli titre de Florian : Frédéric et Catherine. Vers 1780 donc, ignorant que par une de ces transpositions dont le destin a la recette, c'était la politique qui allait remplir à brève échéance, et d'ailleurs iniquement, le rôle de la justice morale, toute cette génération se plaisait à l'idée de disparaître comme un individu, sans s'être trahie... Une liberté qui ne laisse pas de trace, une vérité qui ne laisse pas de preuve, quel chef-d'œuvre de liberté et de vérité!... Elle acceptait même, pour n'éveiller aucun soupçon, de remplir sa mission dans la ronde, et se retenant d'une main à ses pères classiques, tendait volontiers l'autre, bien sèche, à une main inconnue mais suffisamment potelée pour lui permettre de faire de cette prise un attouchement. Cet âge de nudité, de licence et d'effronterie acceptait avec un sourire de s'offrir une pierre tombale pathétique et romantique. Dans les cimetières, les premiers saules s'inclinaient, avec, dans leurs branches, les premières harpes éoliennes, le marbre lui-même se contournait et s'émouvait, au-dessus des corps les plus nets qu'ait produits l'humanité. Ce groupe d'hommes sans peur qui avait dompté les terreurs, les superstitions, les préjugés, les sentiments petits et grands, — mais pour soi, pas pour les autres, en vrai dompteur, — allait s'éteindre bien mieux qu'honoré : incompris, sans que personne se fût dressé pour l'accuser, l'accuser de n'avoir pas triché sur l'âme à l'aide de Dieu, triché sur l'amour à l'aide de la vertu, d'avoir gardé le cynisme dans sa noblesse et la corruption dans sa probité. Il souriait en mourant, car justement il avait eu raison : il mourait! Il mourait d'ailleurs sans regret, car il savait trop quel était ce déluge annoncé par son chef, et qui allait suivre. Un déluge de larmes : le sentiment dans toute son horreur, dans une impudeur près de laquelle la licence n'était que de la réserve. Un déluge de paroles : les jeunes gens déjà ne se parlaient plus que par tirades et périodes ; jusque dans les jardins, au lieu de l'écho, Ossian, mauvaise farce, vous répondait. Un déluge de gestes : Werther se tuait ; toutes les petites femmes nues de Fragonard ou de Moreau soudain déchaînées abandonnaient des objets plus précis et plus tendres pour brandir des torches et des serpents. Un déluge de vertus... Bref tout ce qui amène à courte échéance un déluge de sang.

C'est pourtant à cette heure précise, où la plupart des témoins avaient disparu, où l'intérêt se portait sur l'avenir et non sur le passé, qu'éclata la trahison. Le pamphlet avait la forme d'un roman et s'intitulait *les Liaisons dangereuses*. Du jour où il parut, la mauvaise réputation du siècle fut consommée. On connaît l'étendue du succès et du scandale. Même aujourd'hui, *les Liaisons* demeurent le seul roman français qui vous donne l'impression du danger, sur la couverture duquel semble nécessaire l'étiquette le réservant à l'usage externe. A cent cinquante ans de distance son usage interne attaque, ronge : il est intéressant de démêler les secrets de cette virulence.

Le premier réside dans le caractère tout particulier de la vocation de moraliste chez Laclos. Elle n'a aucune sérénité et aucune impartialité. Elle n'a pas, à sa base, l'intérêt pour les passions, ni même la haine du mal, mais le dépit de constater que des êtres ont assez d'audace pour le faire. Son invention et son inspiration moralisatrices ne viennent pas d'une sorte d'optimisme, de sympathie envers l'humanité, d'espoir en son redressement, mais d'une jalousie, d'une jalousie vis-à-vis des méchants, et à propos de leur méchanceté. Alors que certains moralistes dénoncent le mal pour l'isoler, certains autres pour vivre dans son voisinage, que d'autres encore considèrent qu'il faut, pour l'exercer, des capacités ou des vices particuliers refusés à la plupart des individus, la variété Laclos au contraire estime que la réputation du mal est surfaite, les difficultés de sa carrière exagérées, et qu'il vaut à ses professionnels une admiration et des succès trop faciles. Le respect que le siècle gardait pour ses grands cyniques, leur lustre, leur feinte modestie, leur triomphe, c'est cela que le jeune Laclos ne pouvait supporter. Il se refusait à voir dans le mal un don. Il le jugeait d'abord réductible à une espèce d'entêtement, sans voir que l'entêtement est la seule chose irréductible ici-bas. Il pensait ensuite, et en cela il ne se trompait pas sur lui-même, que les hommes bons peuvent être quelquefois, eux aussi, terriblement doués pour la méchanceté et les gens honnêtes pour la rouerie. Si son entreprise consciente était de stigmatiser le libertin et le débauché, son ambition inconsciente était de montrer qu'un officier d'artillerie sérieux et vertueux, spécialisé dans la fortification perpendiculaire maritime et dans le madrigal, pouvait devenir leur maître à tous ; dans la suite, il ira même plus loin encore, car ce qu'il pense en 1782 du mal, des méchants, il le pensera en 1784 du bien, du talent ; il voudra prouver dans son Mémoire sur Vauban qu'un homme ordinaire possède souvent en soi tout ce qu'il faut pour être un homme de génie, et que la réputation de Vauban comme celle de Valmont n'est due qu'à cet engouement qu'ont les Français pour l'art d'attaquer, alors que l'intérêt du cœur et du territoire français est bien plus de conserver que d'acquérir. Cet esprit offensif, cette offense contre la modération et la raison, qui vaut les réputations bonnes ou mauvaises, voilà l'objet de la haine de Laclos, et parce qu'il le juge trop facile, et parce que sa nature autant que sa carrière le contraignent à ne pas y avoir recours. Le simple consentement qui suffit, dans la vie courante, pour que l'être moyennement doué se donne au vice ou au génie, Laclos va donc se l'accorder dans sa vie fictive, puisqu'il a, dans sa vie courante, la lâcheté de l'honnêteté et de l'existence consciencieuse. Cette jalousie qu'il éprouve pour la gloire et que ses biographes ont parfaitement décrite, Laclos l'éprouve aussi pour ses propres personnages, et c'est là la clef du livre. Le vrai combat du mal, la vraie rivalité et surenchère parisiennes du mal, ne se livrent pas entre Mme de Merteuil et Valmont, ils se livrent entre ces deux personnages démoniaques et l'honnête et provincial Laclos. Personne n'en douta lors de l'apparition des *Liaisons*. De là vint que les héros firent moins scandale que l'auteur, que si tous les salons lirent passionnément le roman, la plupart se fermèrent au nez de Laclos, qui n'y comprenait goutte, et ceux qui s'ouvrirent le firent dans la curiosité de l'horreur, croyant s'ouvrir à un génie du mal. Marie-Antoinette avait *les Liaisons* dans sa bibliothèque, mais le dos de la reliure ne portait ni titre ni nom, et la vérité en effet est que ce livre contenait trop son auteur pour le souffrir en dehors de lui. Le goût qu'avaient Paris et Versailles pour la délation ainsi commise n'avait d'égal que leur étonnement de voir Choderlos de Laclos, dans son brave uniforme et dans son brave nom, revendiquer la paternité et le bénéfice moral de ces lettres anonymes. Il avait pourtant voulu tout dénoncer, à part la seule personne qu'il dénonçât vraiment, à part soi-même. Mais alors que la plupart des romanciers aiment ou admirent leurs héros les plus haïssables, en tout cas se différencient d'eux, il détestait si franchement les siens, qu'il n'avait pas su établir entre lui et eux de perspective et qu'il n'était arrivé, posé devant la glace où il se regardait déguisé en athée ou en séducteur, qu'à faire son propre portrait. De là cette vérité autobiographique, que nous ne ressentons même pas d'habitude devant les confessions les plus chargées et les plus loyales, qui se dégage d'un roman purement imaginaire. Le vrai Laclos n'est nulle part dans *les Liaisons* ; il est dans ses autres œuvres, déclamatoire, maladroitement badin, terriblement plat et sensible, mais le faux Laclos y est partout, avec son vice et son adresse, avec son imagination de dévergondage et ses raffinements d'impiété, bref tel qu'il s'imposera toute sa vie aux côtés de l'inoffensif et vrai Laclos pour les yeux du monde, jumeau diabolique, inexistant et invisible pour son propre jumeau, et qui lui valait les courbettes et aussi les affronts. C'est en cela que réside la particularité première et la force des *Liaisons* ; moins dans la création de ces personnages vrais que dans celle d'un faux auteur, auquel l'élan de sa jalousie et la médiocrité de ses dons ne permettent pas de s'absenter et de nous laisser un peu seuls dans notre lecture. Quittons ce livre, et ce n'est pas Merteuil belle ou défigurée, Valmont triomphant ou mourant, qui demeurent auprès de nous ; c'est celui qui a mis à mal la petite Volanges, qui a conduit à sa perte la Présidente, qui a séduit le petit Danceny, qui s'est offert aux ardeurs de Préjean et l'a trahi dans la même minute : c'est le spectre de l'honnête officier d'artillerie. Nous jugeons mal aujourd'hui de l'effet que dut faire ce revenant, le seul de l'époque classique. Habitués par nos manuels littéraires à unir le nom de Laclos à ceux de Marivaux ou de Crébillon le fils, nous oublions que son roman parut cinquante ans après les leurs, six ans après les premières traductions de *Werther* et d'*Ossian*, treize ans après les adaptations d'*Hamlet*, qu'il est contemporain de Senancour, de Bernardin de Saint-Pierre, de Chénier, et que c'est au milieu de toute cette tendresse et de cette sentimentalité que la sécheresse a eu son heure de génie. Mais nous imaginerions mieux la panique, si nous nous rendions compte que dans ces salons où commençait à se parler l'espéranto social, dans ce monde où se confondaient déjà les castes, dans ces cœurs où la sensiblerie dénaturait et masquait chaque passion, ce fut l'apparition, la dernière apparition dans notre littérature, apparition attardée, composée, froide, mais indéniable, de celui qui ne mélange pas, qui ne bégaye pas, qui ne transige et ne cille pas : de Racine.

Voilà le second secret du poison. Cette impression, que donnent parfois *les Liaisons*, d'être moins une grande œuvre que le pastiche, que le calque parfait d'une grande œuvre qui n'aurait pas existé, en est elle aussi expliquée : une grande voix parle par ce petit auteur. Ce roman, postérieur à *Clarisse Harlowe* et à *la Nouvelle Héloïse*, et si visiblement influencé par elles dans son intrigue qu'on y retrouve quelques-uns de leurs épisodes (la visite aux paysans, la maladie volontaire du séducteur, feinte chez Valmont, provoquée chez Lovelace plus réaliste par l'ipéca), en diffère totalement par sa hâte, son style, et la concision et la cruauté de son analyse. Racine est là...

C'est à la poésie, à elle seule que seront toujours réservées la navigation et la découverte. Sa confiance dans le langage humain, sa collaboration avec le mot, la nécessité où elle veut être de recourir à la phrase plutôt qu'à la voix ou à l'accent, bref ce caractère verbal qui lui permet de forcer presque physiquement un domaine du cœur jusque-là insensible au milieu de toutes les sensibilités, la mettent seule à même de conquérir. Mais, et c'est là une explication du XVIIIe siècle, elle ne conquiert pas pour les poètes. De l'assemblage des poètes tous frémissants, tous consacrés, qui piétinent en sourciers au-dessus de la nappe vierge, il ne reste plus, dès qu'elle a jailli par l'entremise de l'un d'eux, que celui-là seul, et une foule d'inutiles et de profanes. Rien ne sert aux poètes de la fin du XVIIe siècle, de tout le XVIIIe siècle, d'avoir entouré et suivi Racine. Tout ce que la tragédie de Racine conquit fut désormais incompréhensible et inutilisable pour les raciniens, pour les poètes raciniens et pour eux seuls. L'apparition du poète, qui libère la langue des muets, des muets qui se taisent en prose, qui illumine les aveugles, les aveugles non inspirés, vide soudain les mots, pour les autres poètes et devins, de toutes leurs images et de toutes leurs vérités. Tout le langage qui avait préparé l'attentat de Racine, émouvant chez les poètes les plus conventionnels avant le rapt, chez Tristan ou La Sablière, devient pour un siècle, le rapt une fois consommé, de Houdard de La Motte et de Voltaire à Parny et au jeune Hugo, malgré toutes affectations de désordre et d'inspiration, la banalité, le vide. Tout le système artériel de la poésie, le grand poète une fois surgi, en devient le système veineux ; par contre, tous les genres qui comportent la prose comme mode d'expression en sont subitement animés et fécondés. En ceux-là s'insinuent, avec l'exaspération du bacille de culture passant dans un champ naturel, tous les vibrions déchaînés par le poète. Déchaînés dans ce terrain malléable qu'est la phrase sans rythme et sans rime, dans ce vocabulaire sans morale originelle qu'est celui de la prose, ils apportent au roman ou au conte, à la critique et à la lettre, à la construction et à l'analyse, tous les bénéfices de la vision nouvelle, ses générosités, ses égoïsmes, son venin et sa bénédiction. De cet égarement de la vérité et de la respiration poétiques chez les prosateurs, il résulte que la réussite d'un livre n'est pas une question de génie ou de talent, mais de circonstances, et qu'un accès d'émotion, ou de jalousie, ou d'indignation, peut produire ce qui peut naître seulement de la connaissance des hommes et du style dans un siècle non consacré. Tout Français, après 1700, à part les Français poètes, à part Dorat, était capable, même si ses habitudes étaient de verbiage ou de minutie, de créer soudain entre des ouvrages médiocres un modèle d'analyse humaine. Ceux qui n'écrivaient pas du tout en étaient encore plus assurés, et il est hors de doute que l'aboutissement le plus parfait de Racine fut le chef-d'œuvre que créaient quotidiennement, dans la simple conversation, les gens de Paris et de Versailles. Il n'est donc rien d'étonnant dans le fait que les deux romans les plus vrais de notre littérature aient été écrits, le premier, celui de la passion, *Manon Lescaut*, par un être polygraphe dénué de tout tempérament et de toute science des êtres, le second, celui du vice, par un modèle de vertu provinciale, et tous deux par des écrivains sans talent. Il n'est pas sans intérêt de voir fonctionner ce petit Racine qu'est Laclos, et de voir en quoi le siècle lui a fourni naturellement ce que l'autre ne devait qu'à soi-même.

Le genre, en premier lieu. Laclos ne dispose plus de la tragédie, forme morte, mais il a l'habileté de choisir un genre où subsiste le drame : le roman par lettres. Une lettre, si nette, si sèche soit-elle, garde son origine, qui est celle de l'aveu, de l'improvisation, de la confidence, c'est-à-dire du lyrisme ou du poème. L'emploi de la première personne, la délimitation du champ humain, l'apostrophe directe, la relégation au second plan et au décor de toutes les particularités d'une époque, ou d'un groupe d'êtres qu'on n'en devine que mieux, les formules mêmes qui environnent la lettre de guirlandes littéraires et conventionnelles, confèrent à toute correspondance l'aspect orné, révélateur et inéluctable de l'épopée tragique. Le roman par lettres, c'est-à-dire par couplets qui se répondent comme l'ode et l'épode, rimes gigantesques, avec l'entrelacs des lettres de personnages secondaires plus âgés ou plus jeunes qui interviennent comme le chœur, de comparses qui donnent l'antistrophe, avec le caractère émouvant de la lettre même, confidence qui pour parvenir à l'ami intime doit se donner d'abord à l'ensemble d'un peuple par ses valets ou ses facteurs, c'était bien le seul genre tragique qui convînt à un peuple dont les formes lyriques, comme dans toute civilisation de finesse, étaient devenues trop poreuses pour retenir une poésie en évaporation. Remplaçant la rime par l'alternance de ces battements que sont les lettres, distendant ainsi à l'extrême les intervalles du choc lyrique et ainsi l'amplifiant, substituant à l'expression dite poétique l'expression si lyrique, aussi, de politesse, Richardson avec *Clarisse Harlowe*, Rousseau avec *la Nouvelle Héloïse*, Laclos avec *les Liaisons* donnèrent à leur siècle ses seuls drames, tous tranchés par la mort, — non pas comme on le dit, par égard pour le monde ou la censure, mais bien parce que le genre l'exige —, et observant par l'emploi des confidents, des correspondants épisodiques, les lois mêmes qui présidaient à l'écriture de Shakespeare ou de Racine, et leur triple succès fut un succès de tragédie.

En ce qui concerne l'atmosphère de son expérience, Laclos a d'ailleurs sur ses devanciers un immense avantage : il se meut dans la vérité. Cette vérité qui était la contexture même de Racine, elle lui est évidemment extérieure, mais il s'y meut naturellement, du fait qu'il est Français de 1770 et qu'il vit en France. Notre civilisation a parfois été recouverte par la vanité ou la componction, jamais par le mensonge ; la vérité y a toujours été considérée non comme un remède, mais comme une délectation naturelle ; notre histoire comporte des époques heureuses ou malheureuses, réussies ou avortées, mais pas d'époques truquées ou mystifiées, et c'est justement la société que Laclos dépeint et où il a vécu qui a poussé le plus loin le dégoût du masque sur le visage humain. Le roman en Angleterre est ou bien un poème lauréat ou bien une lutte contre l'hypocrisie, lutte elle aussi souvent hypocrite. Le romancier anglais, dès qu'il bute contre un de ces sujets à propos desquels il y a à trancher entre l'homme et sa fatalité, — et Dieu, pour donner à cette dernière le seul nom autorisé par la censure anglaise, — ou bien entreprend un de ces combats solitaires avec l'ange qui sont l'originalité des grands romans anglais, ou s'en tire par la description et par la femme de bas étage et de bas emploi. De même que la liberté morale n'avait d'autre aboutissant en Angleterre que la corruption, la vérité de l'écrivain ne le menait qu'au réalisme. Elle y prenait partout l'aspect des péchés capitaux. Dans Rousseau, par contre, elle prend le vêtement des vertus capitales. Rousseau n'est pas un homme vrai ; il est possesseur de la vérité à titre exceptionnel, comme l'étaient à la même époque, au-dessus des peuples ignorants et serviles, les monarques de Prusse, d'Autriche et de Russie, et il n'est rien d'étonnant à ce que les rapports de Voltaire avec lui ressemblent d'une manière aussi frappante à ses relations avec Frédéric. On n'est pas éclatant parce que l'on porte dans sa poche un diamant. On n'est pas vrai parce que l'on porte la vérité. Anglais comme Suisse d'ailleurs sont toujours trompés dans leur recherche de la vérité morale par leur effort pour l'atteindre en démasquant le mensonge social. En France au contraire, du fait que la recherche de la vérité sociale était nettement et délibérément réservée à d'autres époques, une caste avait pu se baser sur le raffinement, l'érudition, la richesse, c'est-à-dire sur l'inégalité et l'injustice des conditions, pour tenter et mener à bien la seule grande entreprise laïque formée pour isoler le cœur humain de tous ses faux vêtements. Seule elle avait pu atteindre cette vérité de vie qui remplace, chez les athées, la vérité de confession. Il ne reste plus de trace, dans sa façon d'agir, de superstition ou d'inspiration non humaines, et la dignité humaine n'y perd rien, car elle voit à sa taille exacte cet homme que l'homme, au contraire des animaux, voit toujours beaucoup plus petit qu'il n'est réellement. Il n'en reste plus trace dans son langage. Le langage français de cette époque est, dans sa forme courante, le seul où ne se soit introduit ni boursouflure ni dessèchement, le seul d'où soient levées toutes hypothèques de poésie, de religiosité, de pittoresque. Un être humain arrive enfin à dire tout ce qu'il pense, et justement dans le siècle où il arrive naturellement à penser, j'en excepte les écrivains. Après Bossuet, après Saint-Simon, après la préciosité ou l'emphase, après la disparition de tout ce qui subsistait de modulation et de chant dans le français du XVIIe siècle, on éprouve parfois, en entendant le son pur et net de cette langue, la même impression que si les hommes se mettaient soudain à parler. L'atteinte de l'interlocuteur par la parole est directe, de là sa réponse directe. Pas un mot dans tout le vocabulaire qui ne désigne aussi nettement et aussi humainement son objet que ne le fait le mot pain et le mot eau. Jamais les mots ami, ou fils, ou séducteur, n'ont désigné avec moins d'intermédiaire un ami, un fils, un séducteur. Et aussi le mot femme une femme. Et ce qui s'ensuit... Laclos a sur ses devanciers l'avantage d'un vocabulaire qui ne doit rien à l'indignation ou à la digestion, et, nous en revenons toujours là, qui est aussi délimité et aussi originellement pur que celui de Racine. On me demandera, puisque tout était alors vérité, dans les mœurs et la parole, pourquoi le livre a surpris et fait scandale. C'est que la vérité n'est surprenante que dans les pays de vérité. Elle ne prend sa force de révélation que dans le pays qui déjà la possède. C'est un feu qui ne luit que de jour et sa nouveauté vient de son habitude.

Pour déshabiller encore cet homme nu, Laclos l'a dépeint, non dans son occupation amoureuse, mais dans son jeu. Il a choisi non seulement des oisifs, seuls personnages de tragédie depuis que sont à la retraite les héros et les rois, mais des séducteurs qui ont mis le désintéressement même de l'amour à la base de leur séduction. Il a poussé à son extrême la théorie racinienne en éliminant l'amour du personnage amoureux et en lui substituant l'érotisme, je veux dire qu'il a situé la vraie lutte entre l'homme et la femme non dans la résistance, mais dans la facilité. Il montre, et c'est en cela que réside le caractère subversif des *Liaisons* pour ces romantiques naissants, que le combat ne se livre qu'à partir du moment où la femme est facile, et que la vertu de la femme est un accord tacite avec le vice de l'homme. Il n'y a pas hostilité lorsque l'homme essaye de prendre un bien que personne ne peut avoir. Toutes les époques héroïques et honnêtes marquent au contraire entre les deux sexes la concorde. La lutte de Tristan et d'Yseult, de Chimène et du Cid sont des sortes d'ententes absolues, et les luttes en commun de deux amants contre une série de difficultés extérieures qu'ils sont deux à haïr et à combattre. Toutes nos héroïnes imprenables sont des amies de l'homme, et le fait de se refuser à tous, même à celui qu'elle aime, implique chez une femme une foi assez naïve dans la grandeur masculine et la grandeur de l'amour. Le combat commence au moment où chaque sexe se met à regarder l'autre comme son complice ; où, en se donnant, une femme a moins le sentiment de se donner soi-même, cadeau alors douteux et fragile, que d'être sa propre entremetteuse ; où l'homme sent, devant la femme qui lui plaît, qu'il a moins à la séduire qu'à suborner justement cette entremetteuse par laquelle ses gestes sont commandés ; où la femme a honte d'être conquise, non par la violence physique, mais par la parole, et où l'homme en lui faisant sentir que c'est moins elle qu'elle prostitue que son sexe tout entier, lui impose pour le genre féminin en général cette humiliation qu'à d'autres époques elle n'éprouve qu'en particulier. C'est par cet oubli complet ou cette négligence de la légende de la résistance féminine que le livre de Laclos est compromettant pour l'humanité. Il a, pour l'ensemble des femmes, quelque chose d'une histoire de famille assez louche. Mais l'originalité et le tragique de l'intrigue ne résident pas seulement dans le concours que se livrent Mme de Merteuil et Valmont, et dans la colère qu'éprouve la jeune veuve de voir que l'homme, malgré tous ses efforts, ne peut être aussi facile que la femme. Ils résident bien plutôt dans leur connivence. La beauté, le sujet et le scandale du livre, c'est le couple, le mariage du mal. Le libertinage n'est plus une occupation d'égoïste ou de solitaire, le mal n'est pas un Don Juan soutenu par un comparse ridicule et tremblant ; il est le couple parfait, celui que forment l'homme le plus beau et le plus intelligent et la femme la plus charmante et la plus fine. Couple qu'a scellé sur une ottomane, suivant les paroles de l'auteur, non l'amour mais l'accouplement. Couple qui a même échangé ses attributs, la femme se donnant aussitôt, au premier désir et à la première invite, l'homme se complaisant à la résistance. C'est le spectacle de ce superbe assemblage lâché à la chasse du plaisir qui est nouveau, de l'égalité de la femme et de l'homme dans l'exercice de leurs passions. Toutes les qualités demandées au couple parfait lui sont dévolues, confiance absolue, secret vis-à-vis de l'humanité entière, sans compter une jalousie gênante mais toujours excitante. Rien de plus émouvant dans les histoires d'animaux que celle du couple chassant, qu'il s'agisse du renard ou du lion. Rien de plus satisfaisant aussi pour l'esprit de mal que la vue de la belle Merteuil et du beau Valmont rabattant chacun l'un pour l'autre, se confondant jusqu'à l'hermaphroditisme dans le succès et sa volupté : car la victoire pour tous deux a moins de prix que la confidence, et c'est en grande partie pour l'autre que chacun, son gibier à terre, prend son plaisir. Ce code de la débauche par couple, qui a ses devoirs, ses sacrifices, ses punitions, semble même leur conférer une besogne plus digne et plus cruelle que celle même qui les occupe, une besogne vengeresse. Un plus grand poète nous aurait laissé sentir qui ils vengent, Laclos ne l'a peut-être pas su. Mais en tout cas, du fait qu'ils sont deux, du fait qu'il y a deux Néron dans ce Britannicus, deux Don Juan dans ce Don Juan, ils mènent à leur déchaînement final et à leur vrai et irrémédiable aboutissant toutes les passions auxquelles les plus grands drames n'ont donné que des conclusions unilatérales et bourgeoises. Ils continuent à avancer là où Euripide a reculé. La science de leur père l'artilleur a donné à leur stratégie un côté un peu pédant, mais invincible. C'est Racine aidé par Vauban... Alors Andromaque se rend, Phèdre surprend dans son lit

Hippolyte, Roxane tue Bajazet mais repue, et Iphigénie, bien qu'elle n'ait rien à voir en tout cela, est violée en passant. Tous les meurtres et tous les suicides de Racine ont lieu, mais après jouissance, et l'on ne décapite que des corps épuisés.

Je crois que l'on comprend maintenant le virus des *Liaisons* et la raison pour laquelle elles effarent. C'est que tout, caractères et action, y va là où le Français n'aime pas qu'ils se dirigent, au déchaînement. Cette lutte de l'auteur avec ses personnages, leur lucidité et son crépitement dans l'atmosphère exaltée où ils vivent, provoquent en eux un déploiement et une conviction auxquels tous les héros français s'étaient refusés. S'ils finissent par l'empoisonnement, par le suicide, par l'internement ou la petite vérole, ce n'est pas parce que le méchant doit être puni. C'est parce qu'ils vont jusqu'au bout, et que dans cette marche logique le mal finalement rejoint la maladie, l'esprit de domination et de certitude la mort. Les êtres bons d'ailleurs ne s'en tirent pas mieux. En cela ce livre retardataire est un livre précurseur. Pas précurseur certes pour la France, où il reste encore unique. Mais il est à croire que la constatation d'une analogie entre Valmont, Mme Merteuil, la petite Volanges et certains frères et sœurs aussi célèbres mais étrangers et plus récents, viendra subitement à l'esprit et s'y imposera, en dépit de toutes autres différences, si nous disons d'eux que ce sont des « possédés ».

GÉRARD DE NERVAL

Il est une catégorie d'écrivains auxquels notre imagination a réservé en nous une place si sûre, qu'il nous paraît parfois presque superflu, non certes qu'ils aient existé, mais que nous les lisions. Logés en particulier aux points douloureux de la pensée française, — car c'est aux écrivains français surtout que je pense, — le rôle qu'ils jouent a suffisamment d'importance pour qu'on leur pardonne d'être le plus souvent de médiocres auteurs et que leur tienne lieu de talent la lumière tragique dont leur place est marquée. Il fallait qu'ils existassent, et il est curieux de voir que ce caractère de nécessité absolue s'attache surtout à ceux dont l'existence fut une suite de hasards, de rêves, ou d'accidents. Peut-être cette mission est-elle, dans les littératures malheureuses, réservée aux écrivains logiques et satisfaits, mais chez nous Gilbert, Malfilâtre, Hégésippe Moreau ont une renommée sans rapport avec leur médiocre talent, parce qu'ils nous semblent produits par une loi plus fatale que Chénier ou Chateaubriand. La présence de La Fontaine, de Racine dans notre littérature, n'a rien de nécessaire ou d'inéluctable, la plupart des œuvres de nos grands hommes n'y sont que des suppléments divins, et la révélation d'un génie en France se traduit presque toujours par un supplément d'aération et non de poids. Mais il n'en reste pas moins que toutes ces œuvres malheureuses sont alignées sur une ligne de malheur que jalonnent, chaque siècle, deux ou trois témoins de valeur souvent contestable et par lesquels est affirmé, à coup de misère et de mort, entre tant de fêtes et de beaux gonflements d'âmes, le danger mortel, — je ne dis pas de la pensée —, mais de l'écriture. Bien qu'ils en soient les personnages les plus médiocres, ils n'en sont pas moins les vrais prêtres de notre art ; et, par une contradiction que ne présente aucune autre littérature, la France a ce privilège ou cette infériorité que les grandes douleurs n'y soient pas forcément portées par les grands hommes. Nous en éprouvons parfois un peu de gêne. On n'aime sans réserve voir crucifier que les dieux, et de là s'explique l'intensité de notre émotion, si différente d'une émotion littéraire et tellement semblable à la reconnaissance, quand le sort confie ces fonctions sacrées et réserve ce supplice à Villon ou à Baudelaire.

Je donne là une des raisons qui m'ont poussé, — ainsi que beaucoup d'autres —, à remettre si longtemps la lecture de Gérard de Nerval, et une fois que j'eus commencé à lire, la lecture d'*Aurélia*. Ce n'était pas du tout cette appréhension des grandes œuvres, qui nous éloigne parfois d'elles autant par timidité que par désir de garder vierge, le plus longtemps possible, le sens qu'elles ne peuvent manquer d'émouvoir en nous, et qui, quand une guerre survient, amène tant de jeunes gens au matin d'un assaut, furieux de mourir sans avoir lu *le Rouge et le Noir* ou le *Discours sur la Méthode*. Ce n'était pas l'effet de cette illusion, que peupler son imagination de chefs-d'œuvre non lus, c'est la seule façon de la peupler aussi de tous les chefs-d'œuvre non écrits, de tous les chefs-d'œuvre du futur. C'est simplement que la nécessité de Gérard de Nerval était si grande que celle de son talent ne l'était pas, et que je voulais m'épargner une désillusion. Le plus léger des talents démoniaques, la plus médiocre des douleurs eût suffi pour marquer la place de la poésie entre les romantiques français. Ce n'est pas qu'ils aient manqué de génie, et il serait de mauvaise foi de suspecter leurs élans parce qu'ils les ont menés presque tous à leur quatre-vingtième année, ou leurs déchirements intérieurs parce qu'ils les ont rendus sénateurs inamovibles. On ne saurait en vouloir à un romantique de bien prendre le sens d'un siècle, de son âge, et de devenir centenaire. Mais ils ont été les premiers fonctionnaires de lettres qu'ait eus notre pays. C'est par une exploitation juridique de leurs délires qu'ils ont créé en France le statut de l'écrivain. C'est leur renoncement devant la grandeur de la nature qui leur a fait réclamer avec intransigeance la liberté des lettres : non-sens absolu pour les poètes, comme eux, fatalistes et déterministes. Au lieu de juger que tout coup du sort porté à un poète est la seule chose qui puisse lui rendre sa liberté vis-à-vis de la providence et des hommes, ils se sont acharnés à revendiquer pour leur confrérie ce que les autres corporations appellent la liberté, c'est-à-dire une charte, c'est-à-dire un respect mutuel des lois et des habitudes, c'est-à-dire l'esclavage. Jamais esclavage, il faut le reconnaître, ne fut demandé avec plus de superbe et accepté avec plus de condescendance ; mais l'atmosphère qui baigne les *Contemplations*, *Jocelyn*, ou même les *Nuits*, s'avère lourde de conséquences fructueuses en ce qui concerne la propriété littéraire et les droits de reproduction. Or, tout ce qu'on raconte de Gérard de Nerval donne l'impression d'une liberté souveraine. Tout ce qui est la caractéristique de la liberté : le souvenir, l'oubli, la douceur, la connaissance de l'allemand, l'amour des prénoms féminins non portés par des saintes, le manque absolu de vanité, c'est la caractéristique même de Nerval. Cette liberté subsiste jusque dans l'interprétation que l'on peut faire de sa vie. Il a voulu par son suicide lui donner un sens tragique. Mais au matin même de sa mort il lui était encore possible d'en faire le modèle d'une vie, — ne disons pas heureuse —, mais bienheureuse. Ce n'est pas de ses misères qu'il a composé son malheur, chacune au lieu de le rattacher impérieusement au monde l'en détachait ; c'est au contraire de ses aises, de ses voluptés, de ses nuits sur le Bosphore, ou sur le Valois, si bien que pour la première fois un sentiment de luxe et de rareté se glisse, à propos de Nerval, dans ce mot de malheur. Il n'a été ni méprisé ni orgueilleux, il n'était solitaire que quand il désirait la solitude ; rarement les douleurs ont été traitées ici-bas de cette façon à la fois naïve et royale. Alors que les autres romantiques insistent de façon parfois impudique sur la douleur elle-même, Nerval l'enjambe, la tait, comme il se tait sur l'amour lui-même, pour n'en admettre et n'en éprouver que les effets. Si bien que de cette existence qu'on dit malheureuse, tout est connu, tout est visible, excepté justement les malheurs. C'est cette aisance, dès les premières lignes, qui nous attache pour toujours à Nerval, et nous fait sentir combien ses contemporains sont plus « parvenus » dans la plainte que dans la jubilation.

Il serait faux cependant de dire que sa mort seule a fourni à la vie de Nerval cette ombre dont elle semble doublée. Si Théocrite s'était donné la mort, son œuvre n'en serait pas tragique. Nerval est le Théocrite d'outre-terre. Tout ce qu'il y a dans ses nouvelles de pastoral, de poétiquement réel s'éclaire toujours intérieurement d'une lueur, sourde, mais qui arrive, dans notre esprit, à l'emporter sur le soleil dont leur surface est baignée. Au-dessous de ces couleurs si vives, juste au-dessous, est le domaine où l'on ne voit pas le soleil, c'est-à-dire celui du rêve. Rarement poète a su se placer avec cette justesse sur la ligne qui sépare le monde réel du monde intérieur et s'adosser au milieu de tant de soleil contre un mur éclairé de lumière infernale. La mélancolie de Nerval est un sentiment d'identité profonde, cette preuve d'existence individuelle que donnent si peu, contre toute attente et contre la promesse de leur appellation, nos écrivains romantiques. La communication avec un monde irréel n'est pas pour lui un événement rare et plein de conséquences, mais un phénomène journalier. Il arrive même, et c'est ce qui fait le tragique de la seconde partie d'*Aurélia*, qu'à certaines époques le rêve devienne pour Nerval l'événement normal qu'il dépeint avec la langue courante, et qu'il décrive au contraire chaque événement réel, chaque rencontre d'ami, chaque objet avec le langage qui convient au rêve. Le fait qu'il n'est pas disposé, ni doué, pour la recherche métaphysique ou physique, lui fait perdre à chaque instant cette base de départ que ne perdent jamais de vue les philosophes dans la certitude où ils sont qu'ils n'ont d'autre point d'appui qu'eux-mêmes pour soulever le monde, et il passe sans effort d'un bord extrême à l'autre de sa double vie, longtemps heureux noyé, si cher Nerval, avant d'être un pauvre pendu, et ne retrouvant l'air libre que grâce au jeu normal de tout ludion. Il n'a pas pour le monde invisible de curiosité morale, ou religieuse, ou métaphysique, mais bien la curiosité que nous avons, nous, pour les paysages et les événements : il veut le voir. C'est à cause de cette constante plongée en soi-même que l'on pourrait publier, sous la rubrique *Écrits intimes* toutes les nouvelles de Gérard de Nerval avec autant de raison qu'*Aurélia.*

On s'étonne souvent de la rareté dans notre littérature de ce qu'il est convenu d'appeler « les écrits intimes ». C'est qu'ils supposent un élément indispensable, l'intimité de l'auteur avec soi-même, et c'est une liaison que la plupart de nos grands écrivains ont évitée. D'abord parce qu'ils sont catholiques et qu'ils craignent cet ennui de soi que les protestants n'éprouvent jamais. Un appel de ténèbres, c'est ce qu'aucun ne voulait à aucun prix. Un peuple catholique, habitué à solder par la confession, par la confession dans un placard sombre et au moyen d'un langage presque chiffré pour le pénitent même, les illogismes et les dépôts de sa vie, se sentait peu porté à changer cette liquidation mensuelle ou semestrielle contre un débat journalier. La contemplation de la vie intérieure est trop dangereuse pour qu'on ne cherche pas à la remplacer par la simple utilisation de précédents, qui dispensent de tout verdict nouveau ou particulier dans ce procès que l'homme mène contre soi-même, et à s'en remettre à ce code tout fait où sont inscrits d'Œdipe à Werther des exemples qui épargnent tout jugement nouveau. De plus, le nombre des péchés capitaux, le nombre des vertus est si restreint qu'il ne permet en général à une âme pieuse qu'une identification terriblement approximative et lâche de ses aventures. Cet arc-en-ciel à sept grossières couleurs n'autorisait que des peintures bien peu nuancées. Enfin, dans un jeu aussi logique et aussi élevé que celui de nos classiques, où les plus profondes découvertes du cœur humain ont été faites à une infinie distance de lui-même, par déduction, sur des âmes depuis longtemps évanouies et parfois inventées, comme celles d'Andromaque ou de Phèdre, de même que les vraies lois de notre planète l'ont été sur des astres éteints ou à peine visibles, tout mélange de l'expérience personnelle à ces calculs impartiaux risquait de passer pour un accès d'orgueil ou un essai de truquage. Introduire comme tare son propre poids dans une telle balance ne pouvait que fausser les résultats ou les rendre suspects. Cette méfiance était d'ailleurs justifiée. Chaque fois qu'un écrivain français vit dans sa propre intimité, — au lieu de s'écrire à soi-même, comme tant d'Anglais et de Suisses, un nombre prodigieux de lettres faussement fraternelles, ou de mener avec un double, qu'il a besoin de la glace pour voir, un dialogue mi-paternel mi-filial, — que ce soit Pascal ou Rimbaud, cette intimité est l'antichambre des transports et de la désolation. Tant il est vrai que l'esprit français, au lieu d'être la négation ou l'ignorance des puissances du mal, les présuppose, est bâti sur elles, et en est le seul antidote. Dès qu'un Français renonce à cette dispense de pesanteur que lui a accordée sa civilisation, il sait tomber plus vite et plus profond qu'aucun autre dans l'abîme.

Tant d'abîmes se creusaient au-dessus et au-dessous,

à la droite et à la gauche de Gérard de Nerval qu'il ne pouvait choisir : cet équilibre par la multiplicité des attirances infernales, c'est la vie de Gérard pendant les cinq dernières années de sa vie et c'est le sujet d'*Aurélia.*

Aurélia fut trouvée dans les vêtements de Gérard de Nerval quand ses amis, après sa mort, vinrent le reconnaître. Le récit est la description d'un tel conflit entre la vie et le rêve, — ces deux mots étant pris dans leur sens propre et non, comme chez Gœthe, dans un sens littéraire —, qu'il semble une préface passionnément mais volontairement écrite au suicide qui allait l'interrompre. C'est une suite d'illuminations et d'apothéoses autour d'une âme chancelante, un cadavre éclairé à tous les feux de bengale, parfois l'observation presque médicale d'un cas désespéré. On dirait que Gérard de Nerval a voulu par ce document auquel tout concourt à donner un caractère sacré, supprimer de sa vie tout alibi qui eût pu faire attribuer sa mort à d'autres qu'à lui-même. C'est un appel qui aurait pu précéder aussi bien une évaporation, une désincarnation, une explosion, que la mort choisie par Nerval. *Aurélia* nous donne sans cesse l'impression d'avoir été écrite à un niveau qui n'est pas le nôtre, tantôt à mi-hauteur de nos imaginations les plus hautes, tantôt à mi-profondeur de notre plus grande désolation. C'est ce passage constant du zénith au nadir qui coupe notre respiration, et, égoïstement, nous fait presque regarder comme des asiles de paix et de raison les points où Nerval se pose parfois à notre portée et repose, c'est-à-dire les maisons de santé et de fous.

Il est inutile d'attirer l'attention du lecteur sur les différentes expressions de ce pathétique, et en particulier sur le mélange émouvant de ce monde infernal et de Paris, dont se précise, chaque fois que la nuée s'éclaire, un décor familier ; sur ce qui reste de parisien dans ce corps déchiré par les fatalités, sur cette fin du monde qui commence place de la Concorde, ce déluge qu'on voit monter de Montmartre à l'aube, alors que chantent les coqs, les coqs de Paris ; sur cette apocalypse où passent tant de braves sergents de ville, et où une douceur soudain éclatante dévoile à l'improviste un bourg ou un ruisseau du Valois. Je voudrais seulement le mettre en garde contre une mauvaise interprétation des études publiées récemment sur *Aurélia*, et dont la plus complète et la plus attentive est celle que publia l'année dernière, chez Champion, M. Pierre Audiat. L'histoire d'*Aurélia* telle qu'elle est établie par M. Audiat semble à première vue lui retirer le caractère d'une œuvre précipitamment conçue et réalisée... *Aurélia* contient une série d'épisodes ou de descriptions que Nerval aurait déjà utilisés... La chronologie des faits qu'allègue Nerval ne serait pas exacte... Mais c'est justement le dessein de M. Audiat de montrer que « les œuvres mythiques paraissent enfermer plus de vérité que les œuvres confidentielles ». J'irai plus loin. La lecture d'*Aurélia* me paraît plus émouvante par la modestie avec laquelle Nerval a confié son destin à son art, par la confiance qu'il a faite à sa profession, et le souci qu'il a eu de préférer au testament ou à la confidence une forme littéraire. *Aurélia* est à mon avis une leçon suprême de poésie. Le poète est celui qui lit sa vie, comme on lit une écriture renversée, dans un miroir, et sait lui donner par cette réflexion qu'est le talent, et la vérité littéraire, un ordre qu'elle n'a pas toujours. Gérard de Nerval avait pu reconnaître que les éléments d'une vie poétique lui avaient été distribués avec abondance mais sans habileté... La femme qui devait le consoler d'une autre femme était venue avant celle-ci, non après... Les rêves qui prédisaient suivaient parfois l'événement... Mais il n'y a de vrai poète que celui qu'anime un sentiment de justice et de pardon vis-à-vis de Dieu, de Dieu qui ignore peut-être que les hommes vivent dans le Temps, et que les événements de leur vie comportent un enchaînement de cause à effet. En amplifiant, en modelant *Aurélia*, Nerval n'a pas désiré autre chose que de bien préciser à la vie qu'il l'avait comprise. Il est doux, — c'est même la seule douceur pour un écrivain —, de se confier à son talent comme à un démiurge personnel et inoffensif ; c'est parce que le talent, parce que la joie du talent, a pris le dessus sur les autres génies qui chevauchaient Nerval, qu'*Aurélia*, loin de présenter l'incohérence et l'équivoque de nos actuelles interprétations du rêve, donne l'impression d'une logique, d'une béatitude, d'un consentement parfaits. Comme nous aimerions mieux savoir de nos jours, que le mot « freudisme » vient non de Freud, mais de Freude!... De même que chaque artisan s'ennoblit en mourant de la mort que comporte son métier, notre admiration pour Nerval grandit encore à voir cet écrivain, au point extrême et diabolique de sa vie personnelle, garder avec elle les convenances et la joie de sa profession.

CHARLES-LOUIS PHILIPPE

Le début du xxe siècle aura vu une entreprise étrange menacer timidement le développement libérateur et fatal de la littérature française. Pour la première fois l'expression écrite des sentiments français tenta de n'être pas bourgeoise. Ce fut une révolte brève, qui, comme il se devait, fut close aussi abruptement par la rapide mort de celui qui l'avait provoquée que l'hérésie naissante par l'assassinat du jeune hérétique, et dont rien ne laisse prévoir le retour. Elle n'est point passée inaperçue, elle a eu des observateurs, des sympathies ; mais, en France, le sort de tout appel à une vérité extérieure aux classes est de devenir le lot ou l'amusement de la seule classe curieuse, qui est justement celle de la bourgeoisie lettrée, et ainsi de résonner dans une impasse. Autour de Charles-Louis Philippe se groupèrent les mêmes curiosités et amitiés qui s'étaient penchées autrefois sur Belleau et sa complication rythmique ou sur Rousseau et sa simplification des sentiments, qui devaient se pencher quelques années plus tard sur Proust naissant, bref sur l'apprivoisement de tout nouvel artifice et de tout nouvel art propre à féconder notre grammaire spirituelle et notre vocabulaire moral.

Tout ce que Paris comptait en 1910 de journalistes raffinés, d'épigones du symbolisme, de peintres raisonneurs, de directeurs de revues d'art nouveau, se pressa rue de la Chaise, à l'annonce de la maladie de Philippe, et, à la fin de décembre, ce ne fut rien moins qu'un cortège des trois mages, celui de l'architecture, celui de la médecine, et celui de l'écriture modernes, qui vint s'emparer de son corps, passé en une minute de la fièvre la plus dure qu'ait soutenue un être humain au gel absolu, et le confier à un sol beaucoup trop durci lui-même pour qu'on eût l'impression de lui confier une semence. Ainsi l'hérésie fut travestie en événement littéraire et l'incident clos. La perte fut ressentie ; pour les uns c'était le réaliste même avec un style faux, pour les autres un styliste doublé d'un romantique forcené qui disparaissait, pour tous un grand cœur. Il se trouvait en fait que la France perdait le seul de ses écrivains qui, né du peuple, n'eût pas trahi le peuple en écrivant.

La littérature française en effet n'est pas une expression. Elle ne comporte aucun naturel, et le style français le plus naturel, mettons celui de Voltaire, est justement celui qui pousse notre esprit et notre langue à leur pire artifice, en leur refusant des excès, préciosité ou gongorisme, qui correspondent du moins à de vrais défauts ou qualités humaines. Alors que dans la plupart des autres civilisations tout ouvrier, tout paysan, tout forçat qui sait écrire, peut par cela même être écrivain, retrouve au-dessus de sa page sa tête d'épicier, de moissonneur ou de futur guillotiné, et que les diverses classes et corps de métier fournissent à la poésie comme à l'armée leur pourcentage, il n'est d'écrivains naturels, en France, que les ignorants et les irresponsables, c'est-à-dire les rois, les enfants et les fous. La littérature y est une liturgie, les écrivains y sont un séminaire, qui comporte une telle cohésion et une telle connivence que, de même qu'en Chine les prêtres ont le monopole des lieux de plaisance et d'aisance qui entourent les églises, la caste englobe dans son immunité et ses privilèges jusqu'aux auteurs des publications d'obscénité ou de chantage. Quelle que soit la vigueur de l'impulsion qui pousse un Français à écrire, elle aboutit, le premier mot tracé, non à une œuvre d'écrivain, mais de lettré. De sorte que, depuis les troubadours jusqu'aux surréalistes, le répertoire de notre littérature est le plus complet concours général d'éloquence, de finesse et de logique qui se soit livré entre les hommes, et le plus palpitant, mais, comme dans les concours généraux et les exercices scholastiques, il semble que ce soit sur des sujets fixés à l'avance depuis des siècles, et retirés de l'humanité contemporaine. Pour tout ce qui n'est pas le tournoi d'une cour de hauts jeux de l'âme, l'expression y est remplacée par la considération. Il y a dans notre littérature des considérations sur la misère, pas une seule expression de la misère, et il en est de même pour tous les besoins, les appels et les souffrances primitives. Une littérature qui présente en première ligne comme son écrivain damné Victor Hugo, comme délégué du malheur Chateaubriand, comme expression suprême des douleurs de la vieillesse les stances de Corneille à la marquise, ne peut être évidemment que celle d'une langue avertie, où les indications et le génie et le grain de l'œuvre sont tout, et rien l'ampleur et l'amertume des sons dans le pharynx, rien la récrimination et la jubilation naturelles ; celle aussi d'une caste où le respect humain, la pruderie, et le contrôle imposé à l'imagination et à l'exercice de la vie font que les vices irrémédiables ne peuvent être exprimés que par métaphore, ou par antithèse avec les vertus suprêmes ; et en effet, c'est Pascal le saint qui seul nous donne le goût de la damnation, le sage Racine du désordre des cœurs. En fait la distinction établie chez nous entre classiques et romantiques est absolument factice : toute la littérature française est classique, c'est-à-dire d'une certaine classe, qui est par bonheur la classe royale. Elle ne s'adresse qu'au roi, ou à ce modèle de petit dauphin, élevé à grand renfort de Fénelon et d'Augustin Thierry qu'est le petit collégien français, et la confiscation du langage par ses maîtres a été si totale, qu'au-dessous de leurs paroles plus ou moins justement émises il n'y a que le silence, et qu'à part les onomatopées, le peuple français n'a pas ses cris.

Les conséquences de cet accaparement de l'expression par une caste bourgeoise vont assez loin. Du fait qu'un littérateur est chez nous un professionnel du goût et de la dialectique, il lui manquera presque toujours le don de divination ou même de simultanéité par rapport aux événements de la vie et de l'âme. Plus un écrivain est grand, chez nous, moins il prévoit ; il naît toujours en aval des cascades, en amont des mascarets, et n'installe son berceau qu'au pied des grands événements. Le prophète Victor Hugo n'a jamais prévu, — et encore jusqu'à quel point ? — que la Révolution française, et ses contemporains de prémonition que le moyen âge. La littérature française est une littérature de ruminement, c'est-à-dire une littérature euphorique. Ses grands moments sont les règnes, les jouissances, ou les entreprises stables et réussies. Elle a ses grands écrivains aux époques où elle a ses grands tapissiers. Il s'agit en effet de donner à l'esprit le mobilier le plus confortable et le plus digne, et, en ce bas monde, l'aise absolue. A tout ce qui vient par contre du mauvais sort, peste, guerre, révolution, elle ne trouve à opposer dans sa surprise et son désarroi que l'éloquence ; c'est là pour elle le remède à tout mal : éloquence et discours des ronsardisants pendant les guerres de religion, éloquence de Bossuet ou de La Bruyère aux tournants fâcheux de Louis XIV, éloquence des conventionnels en 1793. Tout sursaut dans notre vie politique, qu'il s'agisse de révolution ou simplement d'élections, par le seul fait que c'est un sursaut naturel, dénature immédiatement son langage ; le courage et la peur, la générosité et la lâcheté n'improvisent chez nous que dans le symbole et l'emphase, et même lorsque la langue française est devenue européenne, il se trouve qu'elle doit recourir, pour traiter dignement ou simplement ses moments critiques, aux écrivains étrangers de langue française, sous Louis XV à Rousseau, sous la Révolution à Benjamin Constant et à Mme de Staël. Toutes les grandes œuvres de simultanéité en France n'ont été que des œuvres de concurrence ou de jalousie, qu'il s'agisse des *Provinciales* ou des *Mémoires* de Saint-Simon. Mais aucune simultanéité avec la nature, la guerre, le plissement du cœur humain ou de l'écorce terrestre, et, — la naissance opportune de notre romantisme au moment précis où, après douze siècles d'efforts, la France devenait le domaine de la bourgeoisie, de la stabilité et de la banque, le prouve surabondamment —, aucune simultanéité avec la douleur, ou le soleil vieux de tant de millions d'années. Le romantisme français ne diffère pas de l'objet qui en fut le symbole, que l'on pendait aux arbres quand l'air était agité, il est cet instrument bavard, il n'est ni l'arbre ni le vent. Tout cela vous explique pourquoi la représentation et la garde de ce pays qu'on croit discret, nuancé, modeste, est confié à la Marseillaise.

Mais il se trouve que toute littérature étant éliminée sur un corps de métier précis et sans réflexe, tous les grands mouvements de la nation en sont plus simples et plus purs. La littérature d'autres pays peut être plus vivante, mais c'est leur vie même qui est entachée de littérature. L'histoire de la France regagne largement en clarté et en foudre ce que perdent ses écrivains en malheur et en ténèbres. Tout cet acide urique de ruminement et de pensée ainsi lavé par eux, la responsabilité de la fuite du temps, des couchers de soleil, de l'existence de l'âme rejetée entièrement sur eux, les grands actes de la race et de la nation ont une pureté et une sincérité qui ne leur permet jamais de prendre une expression littéraire ou équivoque. Là où il y a le moins de littérature et le plus de vérité, c'est dans la vie de notre peuple, dans les gestes de nos révolutions et dans les mots de nos rois. Ce n'est point acheter trop cher la vérité de notre pays que de la payer par l'art de sa littérature. Cependant que la quasi-totalité de la littérature française est une espèce d'énorme Gœthe, satisfaite, olympienne et multidécorée, dont les productions les plus hautes sont justement les plus fermées aux âmes étrangères, la vigueur du mouvement français détient à sa base tant de force et de feu sans mélange qu'elle se propage jusqu'au-delà des frontières avec une extraordinaire virulence et, puisque nous parlons littérature, éveille naturellement à l'étranger, sans compter les remous politiques, le remous littéraire qu'elle ne provoque pas en France. C'est ainsi qu'à toutes les guerres ou révolutions parties de France correspond presque immédiatement en Allemagne une floraison d'écrivains, que ces mêmes guerres et révolutions refusent à leur pays d'origine. Absorbé dans l'étude d'une humanité aussi évoluée par rapport à l'humanité réelle que les animaux de Buffon ou de La Fontaine par rapport aux vrais animaux, le poète français écrit sous la Terreur des idylles grecques, pendant la guerre Salammbo ou Protée, on ne sait par quel retard qui devient finalement une avance. Il lui suffit d'ailleurs de quitter son pays pour n'être plus ainsi au ban de la déraison et de la damnation, et Chamisso, Lamotte Fouqué, qui eussent écrit dans leur province natale les romans de Crébillon fils, amènent dans la littérature allemande, avec Ondine ou Peter Schlemyl, le même esprit de naturel et de goût dans l'ordre surnaturel.

A cette lumière, il devient facile de réserver au réalisme, dans notre littérature, la part qui lui revient. Si l'on appelle réalisme le fait pour un écrivain d'exprimer la réalité, on peut donc dire que l'écrivain français a d'autant plus de chances de l'atteindre qu'il s'éloigne des classes populaires, des sentiments populaires, ou de la nature stricte. Du fait de sa formation et du caractère exclusif de sa confrérie, il est aussi qualifié pour rencontrer cette réalité du peuple dont il fait son objet que le séminariste sortant de Saint-Sulpice pour rencontrer le dieu Pan. Toutes les fois où l'époque est double ou trouble, où l'anarchie et la révolution se glissent dans les artères de la nation, notre littérature n'est plus réelle que dans la mesure où elle exprime non pas ces mouvements mêmes, mais les réactions de l'ordre et de l'individu bourgeois par rapport à eux. Mais, que ce soient les paysans de Balzac ou les ouvriers de Vallès, la vérité n'y est atteinte que jusqu'à la limite non franchie du monde et de l'âme paysanne et ouvrière. Les romans de nos réalistes et de nos populistes ne sont, quand ils dépeignent le maçon ou le métayer, que de grossières décalcomanies, — des images d'Épinal pour bourgeois, auprès desquelles un roman d'Octave Feuillet constitue, en ce qui concerne l'âme bourgeoise, un magnifique assemblage de vérités. Ils atteignent tout au plus la réalité au point intermédiaire : à l'entremetteur, au régisseur, au contremaître. Qu'il s'agisse de Zola, de Céline, leur talent, grand ou immense, bafouille au-delà du resquilleur, du gérant et du rengagé, et devient une obséquieuse imagerie aux pieds de la petite fille nue du paysan ou du boucher. La compréhension de la nature elle-même n'a donné de grandes œuvres que chez les écrivains, comme Mistral, qui ont admis la théorie d'une nature intelligente, active, ayant sa dignité et son honneur et ses malices de nature, ou, comme Vigny, chez ceux qui détestaient la pluie. Par contre, toutes les fois où aristocratie et bourgeoisie arriveront à forger un modèle d'homme perfectionné, aéré, ami du luxe spirituel et matériel, ce que l'on appelle non pas l'homme libéré, mais l'homme libre, toutes les œuvres deviennent réelles, toutes celles par exemple du règne de Louis XIV, y compris, tant le type d'humanité comporte à ces moments de hauteur et de relief, les œuvres d'éloquence et les oraisons funèbres elles-mêmes, car le cadavre français dans son cercueil est la variété libre et bourgeoise du cadavre. L'homme qu'étudie l'écrivain français est déjà, dans l'élévation et la perfection de sa logique morale et intellectuelle, ce qu'il apparaîtra, quand il n'y aura plus d'hommes, à son successeur sur cet astre ou sur un autre, c'est-à-dire un être arrivé, ayant déjà passé examens et licences, achevé dans son évolution, soustrait à la confession et à l'épopée, et peu encombré des nostalgies du passé et de l'avenir. En ce qui concerne cet être, imaginaire pour tous les autres, seul existant pour lui, auquel la foi et la raison donnent exactement le même champ, qu'il soit le héros ou qu'il soit l'écrivain, qu'il s'appelle la princesse de Clèves ou Descartes, Julien Sorel ou Marcel Proust, le chevalier de Méré ou Candide, la littérature française est vraie, réelle, et la seule vraie, la seule réelle. Elle a trouvé le système de gravitation d'un monde, alors que les autres en sont encore à discuter les bolides et les queues de comète. Sa méconnaissance de l'actuelle vie humaine non seulement ne la compromet pas, mais lui est indispensable pour cette connaissance théorique et parfaite de l'humanité. Il est une ignorance dont la doublure est finalement l'éternité, et l'ignorance systématiquement entretenue de notre génie n'en a pas d'autre. Ce que la littérature française suppose le moins, c'est la fin du monde, à moins encore que ce ne soit la naissance du monde. Fils d'un pays sans prophètes, aveugle pour l'invisible, sourd pour tous silences, mais doué du tympan le plus sonore pour ce qui est le cœur, les veines et les artères du vrai homme, de l'homme inexistant, l'écrivain français, fût-il né de paysans, ne parlât-il que des simples, dès qu'il prend la plume les abandonne et les trahit, au moins dans la mesure où l'astronome, quand monte la lune, trahit son jardin, ses chiens et sa famille. Tout écrivain français, excepté Charles-Louis Philippe... Pourquoi pas lui ?

La conscience confuse de cette non-trahison de Charles-Louis Philippe a poussé les littérateurs bourgeois à le présenter en symbole de la maladie, de la misère, du malheur, et à dire que ces trois poids l'avaient retenu dans sa caste. Rien n'est plus faux. Il est certain qu'il a connu la maladie ; tous ces maux dont on voit les diagrammes à la porte des hôpitaux, il est vrai qu'ils l'ont frappé. Il a débuté par le croup, continué par la fluxion de poitrine, à cinq ans par la carie des os du menton. Il n'a évité la fièvre puerpérale que par son sexe, le cancer que par la mort, par une mort qu'obtint seulement l'alliance de trois affections terribles. Mais ses maladies ne l'attaquaient que dans la mesure où elles attaquent l'humanité, c'est-à-dire qu'il survivait à chacune d'elles, vigoureux et vacciné. La maladie d'ailleurs n'a jamais retenu le malade dans sa tribu, au contraire. Les maladies sont les voyages des pauvres, a dit justement Philippe. Il n'était en aucune façon contrefait. Souvent je vois monter des bouches du métro un petit homme râblé, solide, tranquille, que je prends encore une seconde pour Charles-Louis Philippe ; justement à cause de cette force, de cette assise. La cicatrice de son menton était cachée par une barbe ; on ne remarquait sa petitesse que près d'une porte, parce qu'elle donnait alors je ne sais quel symbole de l'arrivée et du départ : près de la porte de Polytechnique, où il fut refusé ; près de la porte de la mort. Sa pauvreté n'avait rien de rare. Il était pauvre comme tout le monde l'est, à part les riches. Il était d'une famille qui avait peut-être demandé son pain autrefois, mais qui donnait maintenant des pâtissiers. Il avait été l'élève courant du lycée, où la différence extrême de dotation entre les fils privilégiés et les boursiers devait bien atteindre cinq sous par semaine. Les époques du terme et du premier janvier étaient dures pour lui, mais comme elles l'étaient pour les autres employés à l'Hôtel-de-Ville, comme elles le sont pour les Rothschild. Il avait en 1910 un traitement de dix-huit cents francs, c'est-à-dire que trente millions de Français à peu près avaient des revenus fixes moins élevés. Il connaissait la misère par les récits de son père comme nous avions connu autrefois par les nôtres les loups et la guerre, comme un mythe. A aucun moment il n'avait pâti de sa naissance. Il avait pris le départ de la vie à l'un des deux seuls points où un enfant naissant ne part point déclassé. Il y a les familles de rois et les familles de paysans : lui partait des paysans; son père était sabotier, c'est-à-dire l'ouvrier plus lié aux saisons et aux changements de temps et de sol que le cultivateur lui-même. Sa naissance ne comportait aucun mauvais sort : car il était né dans une clairière comme les filleuls de fée, dans un canton enclos de forêts. Il était, non d'une ville, mais d'un bourg dans son âge d'or, sans usines, le seul commerce en étant le bois ; sans garnison, les uniformes étaient réservés à ceux qui s'occupent des arbres, aux gardes forestiers ; et sans castes rivales, les bois et les étangs amenant pour les chasses à courre et la pêche une série de fêtes où le pays entier gagnait la bonne humeur. Rien en somme, dans les conditions de sa vie, pour le différencier de tous les enfants du peuple qui devaient écrire plus tard de faux romans paysans ou des contes moraux ; Marmontel n'a pas débuté autrement, ni tous les plus fermes soutiens des régimes établis. C'était vraiment un de ces fils d'artisans qui sont pris dans le mouvement qui doit les mener à la classe dirigeante. Il était né dans les conditions exactes qui produisent le président de société métallurgique et aussi le président de la République. Le penchant qui le mena aux lettres n'était pas non plus un recours, un appel. C'était le goût d'écrire, tout simplement. Celui-là que connurent ses camarades bourgeois de la région, Jules Renard, ou du lycée, Valery Larbaud ou Marcel Ray ; c'était cette passion des lettres qui par les émotions créatrices, et les douleurs de l'inspiration, par les douze stations du poète, n'en mène pas moins aussi aux Académies. Son talent n'était pas non plus un talent révélé, son style une parole : sa formation était une formation réussie et d'ailleurs lauréate d'enseignement secondaire. La littérature abonde dans Charles-Louis Philippe, et sous toutes ses formes, de la mièvrerie à l'abstraction, et des concetti au mélodrame. Une esthétique incertaine, dont les amples oscillations le balancent de Victor Hugo à Mallarmé, de Dostoïewsky à Claudel, un étonnement continuel devant les mots et leur ajustement, l'éloignent à chaque phrase d'une simplicité naturelle à laquelle l'âge l'eût d'ailleurs amené, mais, et c'est là toute l'explication de l'énigme, au-dessous de l'auteur Philippe demeure avant tout un personnage et, monstre unique dans notre nomenclature littéraire, et explication de l'énigme, ce personnage est innocent.

On ne peut guère donner de l'innocence qu'une définition : l'innocence d'un être est l'adaptation absolue à l'univers dans lequel il vit. Elle n'a rien à voir avec la cruauté ou la douceur, — le loup est innocent autant que la colombe ; avec la culpabilité ou l'état de victime, — le loup mangeant la colombe n'est pas moins innocent, que la colombe expirante. L'être innocent n'est pas l'être inoffensif, il est dangereux dans la mesure où sa force physique, ses ongles, ses dents sont dangereux, ses ongles innocents, mais il est d'une innocuité morale totale. Il s'ensuit que la caractéristique de l'être innocent est l'inconscience absolue de sa propre innocence et la croyance à l'innocence de tous les autres êtres. L'innocent n'est pas celui qui n'est pas condamné, c'est celui qui ne porte pas condamnation. L'innocent n'est pas saint François, qui par sa préférence pour les pâquerettes, les poissons et les gerfauts, ne laisse pas de porter accusation contre ses collègues les peseurs d'or, ses sœurs les entremetteuses et ses frères les tyrans. L'innocent est celui qui n'explique pas, pour qui la vie est à la fois un mystère et une clarté totale, qui ne récrimine pas... Je vais bien où j'ai l'air d'aller, c'est-à-dire vers la définition la plus contraire à la définition de l'écrivain français : j'arriverai ainsi à celle de Philippe. Car la récrimination est à la base de nos plus grandes œuvres. Toute l'entreprise de notre littérature écrivante et pensante semble être de rejeter sur un autre, sur d'autres, la responsabilité de ce monde, de cette humanité, et de leurs accommodements. Elle a tort évidemment. La culpabilité de l'humanité, presque chaque humain la porte. Dans chaque négligence de notre esprit, chaque paresse de notre corps, dans chaque compromission de notre altruisme s'est caché un crime, et par l'accumulation de ces manques parfois bénins, les sentiments et les valeurs morales de l'univers finissent par subir de terribles atteintes. Nous sommes les termites de notre propre condition humaine. Mais c'est justement ce que nos écrivains n'admettent pas. L'œuvre de nos romantiques par exemple qui avaient une occasion magnifique de réclamer les responsabilités suprêmes, n'est qu'une fuite éperdue devant elles. Vigny est celui qui n'est absolument pour rien dans l'impassibilité des plaines et des montagnes et dans l'ardeur des femmes à couper la nuit les cheveux des amants, Hugo est celui qui se lave les mains de l'inceste, du préjugé concernant les filles de bouffon, de la mort. Celui qui n'a vraiment rien à voir avec le contraste entre la jeunesse et la vieillesse, l'injustice et la justice, l'hiver et l'été, c'est Lamartine, c'est Musset, c'est la poésie française. Parfois, l'ajustement des mots arrive à faire du plaidoyer une grande plainte, mais il n'est plainte qu'à l'arrivée ; il est plaidoyer au départ. Or l'innocence ne comporte ni le regret ni la dispute. L'innocent endosse toutes les responsabilités. Le loup qui erre sur son plateau de l'Iran se sent responsable de la canicule, du gel, des pierres qu'on lui lance, et il n'en est pas plus fier, jusqu'à la minute où soudain il devient responsable d'un charmant petit agneau égaré. L'innocence est cette insensibilité ou cet amour qui ne vous dénonce personne. Le sentiment de l'égalité complète, de l'association absolue avec toutes les races et espèces, morales ou physiques, c'est cela l'innocence. C'est pour cela que Philippe n'était jamais très fier quand il vous regardait le jour du déraillement de Saint-Mandé ou de la famine aux Indes. Sa tristesse contenait plus de remords que n'en contiennent toutes les oraisons funèbres. Il savait qu'il avait dû se compromettre dans la première catastrophe par quelque désobéissance à son père, dans la seconde par quelque erreur à l'école dans ses problèmes. Cette bonté qui vous apparente à ceux qui sont méchants, cette délicatesse qui vous rend sœurs la vulgarité et la grossièreté, cette finesse dans l'amitié et l'amour qui vous fait jumeaux des brutes et des satyres, cette pauvreté qui vous donne pour pères les riches, voilà ce que nous ne sommes pas, voilà ce qu'était Philippe. Pénétré de culture, de réserve, d'abnégation, tout petit, il se reconnaissait comme dans un miroir en ce géant déchaîné, gonflé de désir, d'ignorance et de meurtre, qu'est l'humanité. Il ne s'en distinguait pas. Je me souviens, pendant la guerre, avoir ressenti journellement l'absence de Charles-Louis Philippe. J'essayais de m'expliquer ce malaise. Je me disais que du fait de la guerre, la carrière de mon ami était inachevée ; que c'était évidemment pour une rencontre avec elle que tant de douceur et de modestie avaient été créées, qu'il s'en était fallu de quatre ans pour que le plus grand fléau et le seul Français innocent eussent pu avoir leur confrontation, que c'était vraiment dommage de ne pas voir en face de la guerre le petit Philippe, que le sort avait pris soin par avance de dégager du service armé pour qu'il ne pût en aucune sorte être acteur dans le drame, et perdre une minute ou une qualité du spectateur. Pas du tout. C'est que j'étais las de cet effort outré de mes compatriotes, de mes amis, de mes alliés, pour nier toute parenté avec la guerre. C'est qu'il me manquait quelqu'un, quelqu'un de tendre, qui s'en fût senti et reconnu responsable.

II

Quatre tombeaux

TOMBEAU DE ÉMILE CLERMONT

Il y a, dans toutes les âmes grandes, un génie extensible qui donne à leur vie, qu'elle soit brève ou longue, conclue normalement ou brisée, l'équilibre et la perfection. Il n'en est pas d'elles comme des statues antiques dont la mutilation a été un allégement nécessaire pour le passage sur on ne sait quel pont dangereux des siècles ou du goût. Ce que le sort nous a donné de la vie de Clermont n'est pas un fragment, mais une vie complète, et d'autant plus achevée que par cette conclusion seule elle devenait le bien de ceux auxquels Clermont pensait le plus, de ceux auxquels devrait revenir normalement et ne revient presque jamais le bénéfice d'un grand voisinage : de ses camarades, de sa génération. Pour que la sagesse en France cessât d'être la spécialité des vieillards, pour qu'elle fût autre chose qu'un enseignement ou une tradition, et bien une denrée courante, il n'y avait guère d'autre méthode, étant donné l'encombrement qui règne partout dans l'âge adulte, que d'avancer fortement l'âge de la vieillesse, c'est-à-dire de la mort. Notre génération a eu recours à cette recette avec un plein succès. Aussi, au lieu d'avoir pour serre-files des aînés à cheveux gris, elle a des morts, mais tout jeunes. Chacun des survivants en possède au moins un, dont la présence continuelle et aérée détruit de façon inespérée la proportion, dans ladite génération, des corps et des âmes. Pour beaucoup d'entre nous ce vide heureux, ce jumeau léger, c'est Émile Clermont.

Il n'est de parfait, en ce bas monde, que les calamités. En ce qu'elles détruisent et en ce qu'elles épargnent, elles font toujours une œuvre raffinée et définitive. Le bonheur n'a jamais rien eu de fatal, et la fatalité est une règle tellement humaine que les existences heureuses font toujours figure de désertions. Les calamités déterminent une crête au-delà de laquelle on ne peut que descendre, si bien que tous ceux qui sont partis pour un long voyage paisible et qu'elles ont pris jeunes, semblent les seuls humains qui soient arrivés à leur altitude et à leur but. Toute l'existence de Clermont, si pacifique, et qui semblait ne devoir trouver de solution que par des avances prises sur l'éternité, nous paraît maintenant avoir marché, depuis son enfance, au canon, et vers la guerre. La guerre lui a fourni, comme à tous ceux qui cherchent, des réponses qu'il lui aurait fallu des siècles pour trouver, comme aux chimistes, comme aux aviateurs. Il en a été vraiment, pendant ces cinq ans, du caractère comme de l'avion. En même temps que la guerre, par un battement spécial du temps, supprimait tous ces obstacles qui ralentissent le progrès, difficultés d'argent, crainte de la consommation en hommes, nécessité de gagner la vie quotidienne, elle débarrassait également l'âme noble de toute sa pesanteur. Cette remise à l'homme de soi-même, cette libération de ses joies et de ses charges, l'échange de toutes les émotions différentes et divergentes d'une vie contre un seul et invariable pathétique, tout cela ne pouvait qu'accélérer à un rythme insoupçonné son développement ou son achèvement. Cela n'a point manqué pour ceux qui ont combattu, pour tous ceux qui ont combattu, et de là cet étonnement avec lequel ils écoutent et regardent les hommes qui n'ont pas fait la guerre. La philosophie de ceux-ci paraît primaire, leur sagesse est celle de la draisienne. Aucune norme n'a jamais été prise de leur crainte, de leur courage, de leur lâcheté ou de leur sacrifice. Ils sont des liquides sans vase. Ils ne savent pas, quand ils ont été jetés dans la vie, avec quels animaux ils ont été cousus dans leur propre peau. Mal identifiés avec leur corps et leur âme, ils se ressemblent par un aspect de confection, bref ils se ressemblent. Il n'est certes pas question, entre eux et les soldats, de mérite ou de démérite, mais celui qui a eu peur à la guerre, celui qui a fui, celui qui a trahi ne donne pas, comme eux, cette impression d'être hors du jeu, hors de cette connaissance qui a été transmise automatiquement, depuis 1914, aux enfants eux-mêmes et aux arrière-neveux. Ils sont des exceptions au même titre que l'étaient, quand vint Galilée, tous les hommes excepté Galilée.

Clermont, qui avait été dans ses premières œuvres contraint d'imaginer, pour donner à sa pensée le fond orageux qu'elle réclamait, une guerre pacifique mais cruelle entre les êtres et les choses, et auquel la construction de ce décor de calamités coûtait souvent le meilleur de ses efforts, vit le travail de son imagination infiniment purifié et allégé quand éclata entre les hommes, sans son aide certes, la guerre. Il n'avait plus à édifier, pour donner aux débats de son âme la résonance nécessaire, le mal. Le drame ne naissait plus d'un combat entre les humains, souvent terrible mais mesquin par essence, mais bien d'une alliance générale des humains, amis et ennemis, contre un de ces fléaux qui mettent soudain l'humanité en état de grâce et seuls chargent à la fois chaque être de son néant et de sa justification. Clermont était relevé de ce rôle de peintre à couleurs noires, et ce sombre émoi que lui inspirait autrefois le visage de Pascal ou celui de Nietzsche, il se trouvait que maintenant la tête curieuse du Bavarois qui émergeait soudain seule de la tranchée, ou le visage souriant de son sergent-fourrier le lui apportait aussi vif. Cette auréole de mort qu'il s'imposait de donner à ceux de ses héros auxquels il voulait voir accomplir un acte vraiment final, pas un de ces vivants, du cuisinier au colonel, qui ne la portât au front. La compagnie, le bataillon, l'escouade, que ce fût au combat ou à la corvée de pommes de terre, scintillaient d'actes finaux. Clermont n'eut même pas l'idée de choisir à son prochain roman d'autre base et d'autre décor que cette guerre qui lui permettait de porter toute la lumière sur les hommes et toute l'ombre sur la fatalité. L'état auquel il était parvenu s'avérait même plus parfait que lui-même n'aurait pu le désirer ou le prévoir. Il se trouvait que, par le fait encore de la guerre, au lieu d'arriver seul à cet état de grâce, tous les camarades y arrivaient avec lui. La guerre lui épargnait ce dilemme tragique, ou s'élever au-dessus des hommes, ou rester avec eux très bas. Par une transmutation subite, les individus les plus simples se trouvaient, au milieu des excès, des divagations, haussés d'un coup à ce palier où lui-même n'était parvenu que par une vie d'étude et de renoncements. Il est infiniment plus doux d'être sujet que d'être roi dans le royaume de la sagesse. Ce bolchevisme du sublime était, au-dessus d'une nation soudain affermie dans ses cadres et dans son honneur, tout ce que Clermont pouvait rêver de plus haut. La bataille entre les hommes avait le même résultat, mais cette fois universel, que la bataille avec soi-même.

La mort de Clermont, après ce beau débat qui lui avait fait voir dans le séjour sur la terre un bien inégalable, dans la constance et la foi les seuls cadeaux, est survenue juste à l'âge où les désespérés se suicident. Cette fin prématurée donne à toute sa vie l'apparence d'une exploration audacieuse, l'allure d'un raid. Elle semble remarquable, tant le but en était précis, non par sa brièveté mais par sa vitesse. M. Guy Chastel, comme on questionne ceux qui ont entendu l'avion au cours de son voyage pour en reconstituer la parabole, demande à chacun de nous quand Clermont a été pour la dernière fois entendu, perçu par lui... En ce qui me concerne, je puis le rassurer... A la fin de février 1915, le pilote était visible, en excellent état, et faisait des signes amicaux à la terre.

Je l'ai vu un de ces rares jours de la guerre que j'aime à me rappeler, parce que ce furent des jours bienheureux. Il arrive parfois en rêve que vous êtes soudain libéré de votre pesanteur, de votre lenteur d'esprit, que vous trouvez le moyen de voler avec vos seuls bras, de comprendre pourquoi vos aînés n'ont pas découvert la pierre philosophale, de traverser des murs et de vous amuser à rejoindre vos amis par les cloisons et non par les portes. Or, ce jour-là, j'étais libéré de ce rôle de végétal qui attachait alors chaque soldat à un champ précis. Je venais au front en convoyeur. Je pouvais, en montrant ma carte, aller de brigade en brigade, de poste à poste, suivant des diagonales que seul avec moi le général Joffre aurait pu se permettre. Les sentinelles ne m'arrêtaient pas, j'étais mon propre mot de passe. Je ne relevais d'aucun chef, sinon de celui qui m'avait envoyé, le capitaine d'intendance d'un dépôt du Forez. J'avais la faculté incroyable, par de petites promenades de cinq cents mètres, de relier quelques camarades à leurs femmes, qui attendaient sans nouvelle depuis des mois dans les villages voisins. C'était un des premiers jours du premier printemps de la guerre. Le ciel était bleu, avec ces énormes nuages blancs que donnent en éclatant au-dessus de Soissons la paix, la joie, et leurs obus muets. L'idée me vint d'aller voir Clermont. Grâce à mon anneau magique, je pus marcher vers lui par une marche toute droite, comme dans un assaut.

Je traversai d'abord Violaines où campait le bataillon des fusillés de Vingré. L'exécution avait eu lieu quinze jours plus tôt. Seul le peloton qu'on avait obligé à tirer avait fermé les yeux... Quelle adresse il faut pour tuer un ennemi, quelle maladresse suffit pour tuer un frère!... Puis vint Nampteuil, région où il était défendu sous peine de prison de porter un foulard, fût-ce par le gel, et où les soldats, en voyant mon cache-nez, me riaient et m'offraient à boire comme au suprême courage. A Chacrize, je croisai l'escorte du général de Grandmaison. Il galopait. Il se hâtait. Il avait encore cinq heures à vivre... Je traversais un plateau monotone, terre civilisée où les champs étaient guérets pour la première fois depuis Clovis, et que coupaient de temps à autre, pour y loger les chapelles, les églises et les châteaux, de profondes vallées, tranchées de nos villages. Pas d'autres oiseaux que des corbeaux, oiseaux brûlés, et qui entretenaient sur les plaines l'impression d'un incendie voisin, plus paresseux dans leur vol encore que d'habitude, sachant que tous les hommes avaient une surcharge de plomb. Parfois une église ou une chapelle isolée, mais qui semblait aujourd'hui avoir été abandonnée de son bourg, qu'on rassurait de la main, dans laquelle on entrait, dont on ouvrait le tabernacle, sur l'autel, dans la chaire de laquelle on montait sans scrupule, assurés qu'elle préférait encore la présence turbulente d'un soldat à son respect... Mes frères, mes très chers frères, la guerre est finie!... Les murs résonnaient.

Il était doux de traverser un pays aussi chargé de sens en allant vers Clermont. Je pensais à ce qu'il allait m'en dire tout à l'heure. Nous devons une grande reconnaissance aux écrivains qui, devant un paysage offert aux yeux de tous, piétiné par les générations, remplacent soudain notre contemplation habituelle par un sens infiniment plus subtil ou plus noble. Entre quelques éléments peu nombreux et d'essences assez vagues, chute du soleil, lever du brouillard et glissement des eaux, il est une sorte d'alliage à trouver qui détermine de manière absolue l'âme d'une province et que ne réussissent que bien peu d'élus. Ce rythme définitif que Clermont avait donné à l'Allier, cette pression inaltérable qu'il avait imposée aux vallées du Forez, je savais qu'il les donnerait un jour à ce plateau, à ces rivière. Je jouissais de cette petite perfection, que je n'essayais pas d'anticiper ni de comprendre. Je traversais un brouillon de Clermont, selon l'humeur des nuages, morne ou étincelant. Je pensais surtout à cet autre paysage, dont je peux nettement, grâce à lui, imaginer les charmes, la détresse ou la fulgurance : celui de la pensée solitaire.

On ne naît pas impunément dans le pays d'Urfé. Tous les livres, toutes les notes de Clermont figurent la géographie, non du tendre, mais du pathétique, la carte d'un sublime provincial et pur, de la solitude de l'âme, et, de même que chaque voyageur, chaque explorateur prend instinctivement les attitudes propres à son voyage, Clermont n'avait que les gestes favorables au sien. Jamais je ne l'ai vu dans une position instable et qui ne permît pas, non seulement la réflexion, mais le voyage jusqu'aux causes premières. L'attente, la trépidation, la nervosité n'existaient pas pour lui. Ensemble nous avons entendu trois heures des appels de concours, des conseils de revision. Avec lui j'ai monté des escaliers pour voir au fond de Paris d'immenses incendies, ou des feux d'artifice, ou le premier aéroplane. Il était toujours calme, bien assis ou bien d'aplomb. On le sentait à l'intérieur d'une attente ou d'un spectacle infiniment plus grand et dont la contenance lui donnait une patience sans limites. Il n'avait jamais cet aspect de télescope démonté que donnent la plupart des philosophes au repos. Un boxeur, un leveur de poids, à la minute de leur effort, n'avaient pas plus d'assise que Clermont dans sa rêverie. Je savais déjà que j'allais le trouver, — au-dessus de ce château où une châtelaine, jeune fille orpheline, qui présidait la table des officiers, la châtelaine la plus proche des batailles, amenait jusqu'aux tranchées par sa beauté et sa dignité cette présence et ces mains féminines qui eussent manqué à la guerre de Clermont, — aussi calme, aussi gai. Je savais qu'il allait me donner, dans son costume d'adjudant, l'impression reposante d'être un interprète, un interprète de la guerre, dont l'absence désormais nous empêchera de comprendre beaucoup de mots du terrible langage. Mais je me rappelle, dans cette marche vers lui, m'être justement demandé dans quel équilibre parfait il allait m'apparaître au-dessus de ce tremblement de terre, dans quelle position pour toujours stable, accoudé à quel balcon, assis sur quel granit. J'arrivai à Muret. Le bourg était parcouru par des soldats qui se rendaient en file à la vaccination, tout joyeux, car si la vaccination immunise six mois contre la typhoïde, elle immunise aussi une semaine, ce qui est plus important encore, toute la semaine de repos forcé, contre la mort. On m'indiqua sa chambre. Je poussai la porte. Sur son lit, en uniforme, la manche droite relevée, la chemise un peu rougie au haut du bras, il était étendu. Il avait choisi, pour me recevoir, la position de Socrate lui-même, avec un peu de sang, pour la couleur locale.

Feurs, 1930.

TOMBEAU D'UN JEUNE POÈTE

Je ne suis pas là pour descendre dans l'ombre un ercueil, mais pour marquer une minute encore une pparition étincelante. Pour la première fois la mort st faite, à ce degré, de soleil, de sagesse jeune, et de iel... J'inaugure un corps de lumière.

Il est né au printemps, un dimanche, et en Gasogne. Il est mort en hiver, et à Paris. Les poètes franais diffèrent des Anglais et des Allemands en ce qu'ils hoisissent le lieu et la saison de leur naissance, non e leur mort. Ils naissent par leur vertu. Ils meurent nalgré eux. Il avait dix ans quand se déclara la guerre. e n'est donc pas avec cette résignation déférente ui se décerne en gros aux écrivains tués jeunes qu'il onvient d'approcher son œuvre. Notre hommage 'adresse à son talent, non à son sort. Il a droit à l'admiation personnelle qui va aux poètes de paix... Et uelle paix était la sienne. Non pas la paix pratique t avide à laquelle furent amenés la plupart de ceux ui ont pris la guerre corps à corps, mais cette paix es batailles intérieures, des heurts et des tournois ntre grands objets et grands éléments dont a pu rêver n enfant pour lequel la guerre était seulement une compagne de lycée, le témoin pathétique d'une époque d'imaginations et de travaux paisibles et sensibles.

Pierre Frayssinet emporte avec lui mille tragédies, trois cents odes, cent romans. Il nous en laisse trois, dix, un seul. Mais il laisse entière la vertu qui les recouvre tous, toutes, son lyrisme. Le lyrisme n'est pas la seule poésie du monde ; il en est la seule dignité. Quand cette dignité est de plus, comme ici, celle de l'adolescence, c'est un miracle. Elle se double de sûreté, de confiance, et de cette expérience innée du monde qui seule dicte les rapports parfaits avec lui. Elle n'éloigne pas le poète des hommes. Elle fait de lui au contraire celui qui parle et qui danse le mieux, qui comprend le mieux les problèmes du change et de la politique locale, celui aussi qui est le plus beau, le plus habile à marcher dans la rue encombrée, ou à prendre les truites, le plus simple et le plus affectueux d'entre les fils et les frères, bref cet être que je n'ai pas connu, et dont un seul vers me donne une science si complète. L'espèce de joie que les amis de Pierre avaient à le voir n'avait pas d'autre cause. A côté des grandes figures qu'ils savaient déjà ses familières, Déjanire, Ajax, Admète, ils sentaient près de lui à chaque instant cette forme polie, souple et habile qui guide les voyants. L'image de ce que devait être cette dignité dans la solitude et la campagne, où il passa de si longs mois, n'est pas moins précieuse. J'ai l'impression que Pierre Frayssinet était pour les arbres, les eaux, les animaux, ce qu'il était pour les humains. Il avait avec eux cette noble familiarité et cette sûreté de rapports qui est le privilège de leurs pairs. D'ailleurs tous les efforts du poète pour atteindre son paysage de poète l'attachent plus étroitement à un paysage plus réel de la terre.

On ne confie bien chaque partie de cette terre qu'à un seul habitant. Notre imagination dépeuple les provinces pour ne laisser dans chacune que son mandataire. On le voit, assis ou debout, jeune ou âgé, mais unique, au-dessus d'une belle ville ou d'un beau vallon vidé par lui de ses habitants. De même que j'ai confié à P.-J. Toulet cette garde de la mer basque, des petits hôtels à platanes sur les gares, et de cette pente radieuse vers le village vert et blanc qui est son propre cimetière, je ne crois pas que l'on puisse désormais confier les coteaux de la Gascogne et son ciel bleu mangé de langues noires, ses rivières de goujons où boit une oie, ses vignes avec leurs contreforts éboulés, et tout le pur alcool de sa richesse aride, à un autre qu'à ce jeune homme, accoudé à la pierre, adossé au lierre, le regard voilé par l'ombre du feutre, le demi-sourire de ses lèvres en plein soleil, qui y savoure, en connaisseur de vingt ans, l'éternité dans ce qu'elle a de merveilleusement éphémère.

Paris, 1929.

TOMBEAU DE HENRI LAVEDAN

J'ouvre les journaux portugais, et je crois mal lire. La seconde colonne est à Serrano Suner et à Mussolini, qui le reçoit, la troisième à Staline, la quatrième à Churchill. Et deux cent quatre-vingt-sept avions ont été abattus dans la journée. Et Dakar est bombardé. Et l'on se bat en Indo-Chine... Mais mes yeux ne quittent pas la première colonne. Elle m'apprend ce que seule la presse portugaise a jugé son devoir de révéler au monde en ce moment : la mort de Henri Lavedan. Lavedan ce matin, devant cette abbaye d'Alcobaça que je visite, l'emporte sur la guerre et ses dieux. Merci à Alcobaça. Il est donc encore un pays pour lequel compte la mort d'un auteur médiocre, du fait qu'il était auteur. Il est un pays qui saisit tout prétexte à faire signe, non seulement à la France, mais à ce qui est son intimité : sa petite écriture, ses cafés, ses coulisses ; pour lequel compte sa médiocrité elle-même. Devant Alcobaça, qu'ont construite les moines bourguignons, qu'ont mutilée les soldats du Comte d'Erlon, devant Saint-Bernard, entre les platanes, les palmiers et les eucalyptus, hommage est rendu à Lavedan pour le génie, la pensée, l'intelligence et la noblesse de cette planète, pour tout ce qu'il n'a pas eu et qu'il n'a jamais prétendu avoir, et que cependant, parce qu'il a rendu célèbres les cravates de Le Bargy et qu'il a fait dialoguer sur l'amour une bouquetière et un marquis, intensément aujourd'hui il représente. Évidemment il aurait peut-être mieux valu que ce fût Flaubert qui fût mort, ou Gobineau, ou même Maupassant ; ou d'autres aussi qui vivent, et que je ne puis nommer. Alors la critique portugaise eût engagé son duel à armes égales : Balzac équilibrant Ciano, Stendhal Gœring, Mérimée, qui justement aimait tant les nefs romanes, Eden : le dyptique était parfait. Et si c'était Voltaire qui fût mort ce matin, alors on aurait relégué la guerre à la troisième colonne. Et, puisque nous voici dans les hypothèses, si Molière était mort ce matin, il y aurait eu cette édition spéciale que les Portugais n'ont jamais faite pour aucune victoire ou défaite des armes!... Molière n'est pas mort ce matin. Il est tranquille, sans dépouille ou urne responsable, au cœur de Paris. Racine aussi va bien... Lavedan seul, qu'on croyait d'ailleurs mort, a ressuscité hier pour que son ombre modeste et sourde, au crépuscule, circulât dans les rédactions de Lisbonne et posât doucement, de sa main paralytique, sur chaque épaule, la main de la liberté. A Paris, personne n'a su qu'il partait. Mais ici, disent les critiques, tous nous l'accompagnerons au tombeau ; nous tous, disent-ils, et je me joins à eux pour le dire, qui nous sommes assis sur les banquettes saumon de la Régence, comme Lavedan ; qui avons bu un bock le soir des générales, comme Lavedan, près de Lavedan ; qui avons mis des capes pour les galas des Français, comme lui, et si le vent les soulevait, on voyait que nous avions la

Légion d'honneur ou les palmes, comme Lavedan ; qui avons suivi dans Paris, du Palais-Royal à l'hôtel de la rue des Saints-Pères, vers minuit, le chemin le plus usé par le rêve et le talent, comme Montaigne, comme Corneille, comme Lavedan, — nous essayions de découvrir, entre les quatre statues du pont, laquelle est de Pradier ; nous n'y parvenions pas, comme Lavedan — ; qui avons acheté des violettes et le *Figaro* le dimanche matin sur la place de la Madeleine, comme Lavedan ; les fontaines à cette époque y étaient encore et le vent du sud nous inondait de leur eau jusqu'aux pieds, comme Sarah Bernhardt, comme Lavedan ; qui avons bu du sirop dans le chêne de Robinson, la fumée des ânes fatigués montant jusqu'à nous à travers les planches, comme Murger, comme Musset, comme Lavedan ; qui avons gravi, sans nous retourner, les pentes de Meudon, et soudain avons contemplé Paris sous la lune, comme saint Vincent de Paul, comme sainte Geneviève, comme Lavedan ; qui croyons à la paix et au style, comme Dieu, comme le fils de Dieu, comme Lavedan. Nous tous aussi qui ne réservons pas notre passion pour ce qui est français mais qui croyons nos frères tous ceux qui ont été notre orchestre ou notre voix intérieure, comme Wagner, comme Shakespeare, comme Nietzsche, comme Lavedan... Que Lavedan pour son message soit donc fêté au haut des cieux et que lui qui n'entendait plus, qui ne voyait plus, que toutes foudres et toutes musiques l'y accueillent !

Alcobaça m'ouvre sa nef immense. Dans le Cloître du Silence, le lavabo des moines filtre le silence même. Aux pieds de marbre de son seigneur Pedro, Inès de Castro dort, soutenue par les anges. Un rayon de soleil coule de l'un à l'autre tombeau, comme le ruisseau auquel Pedro confiait ses lettres à travers la prison d'Inès, et tiédit sur les bas-reliefs les images de ce Jour dans lequel puissants et modestes, rois et reines, élus et damnés seront réveillés soudain par la trompette, et se relèveront tous, dans leur pudeur de squelettes, ajustant à la hâte pour n'être pas nus leurs corps nus, — comme Pedro le Terrible, comme Inès de Castro, comme Lavedan...

Alcobaça, 1940.

TOMBEAU DE ÉDOUARD VUILLARD

Vuillard est mort. Je le connaissais depuis 1916. J'étais allé le voir, en uniforme, avec Auguste Bréal, en uniforme. La guerre victorieuse me l'avait donné. La défaite me le reprend. Il est vrai que la guerre victorieuse m'avait pris Debussy. Mais Vuillard était un de mes enjeux de la guerre. Mes enjeux de la guerre n'étaient pas seulement l'Alsace, ou Nice, ou la paix et la joie du monde. Une guerre, d'où j'aurais pu ressortir avec Vuillard, quelle qu'elle fût, n'aurait pu être une guerre perdue. J'en ressors avec Vuillard mort, avec sa douceur, sa loyauté, son amitié embaumées par la mort. Ce n'est déjà pas si mal. J'en ressors aussi avec la certitude que Vuillard n'est pas mort de la guerre. Et c'est tout ce qu'il fallait. Il n'a pas désespéré. Il ne s'est pas suicidé. Que les militaires allemands aient battu les militaires français, cela ne regarde pas directement les peintres français, ni les poètes français, ni les aqua-fortistes, ni les pastellistes français. Je vois Vuillard confus de mourir dans cette mêlée de soldats héros ou traqués, de bénéficier sur le passage de son cercueil de l'émotion réservée aux morts militaires. *Souriez, ne vous arrêtez pas, saluez à peine!* a-t-il crié de son cercueil ; *c'est un mort de la paix !* Et je l'entends qui se disculpe : — *Je meurs parce que j'ai l'âge de mourir, j'ai plus de soixante-dix ans... Mon maître Lesueur n'est pas mort de la guerre, et il est mort à trente-six ans. Les peintres de bataille eux-mêmes meurent chez eux. Ni les tanks, ni la consternation n'y sont pour rien !...* Et je suis sûr qu'il aurait même invoqué un prétexte plus plausible, plus actuel que l'âge : la congestion par exemple, le diabète. — *Je meurs d'urémie,* nous dirait-il, *je ne meurs pas de cet orgelet que je redoutais par-dessus tout, car il m'empêchait de peindre mes portraits, et je passais ma journée devant la glace, à contempler le mien propre, mais je meurs de néphrite, d'albumine, et non d'abattement, et non de doute sur la France. On va m'emporter de ce lit avant la nuit de veille à laquelle j'aurais droit, parce qu'un Allemand doit y coucher ce soir en campement, mais j'y meurs de maladie, les mains croisées, les pastels au repos, en peintre. Je renonce à ma première nuit de repos éternel sur ce lit pour que cet Allemand y repose, exténué de sa course et qu'il y dorme bien le repos de sa nuit, mais il n'est pour rien dans ma mort. Il ne m'a pas tué. Au contraire ; il range avec soin sur la commode mes objets, qu'aucune mitrailleuse n'a jamais menacés, mon crayon, mon carnet, et mes lunettes, qu'il n'essaye même pas, bien qu'on lui ait dit que j'étais peintre, car un sommeil dix fois plus lourd que ma mort l'a déjà étendu sur le matelas où je marque encore à peine, et il sait la vérité. La vérité est celle-ci : que les Allemands aient vaincu la France, cela ne leur donnera pas les peintres français et ils le savent aussi bien que moi, et ils l'espèrent bien. Qu'ils m'aient vaincu, cela ne leur fera pas voir comment je vois le rouge, le bleu, le grenat. Je ne dis pas comment sont réellement le rouge, le bleu, le grenat, car je n'ai jamais été chauvin...* Et je n'énonce pas toutes *mes couleurs ; je prends ces trois-là au hasard, bien que Dieu m'aurait certainement accordé, en guise de dernière prière, de les appeler toutes, du premier blanc qui sort de l'invisible au dernier qui y rentre... Il faut pourtant que j'appelle le jaune, ce jaune que j'ai toujours préféré... Je ne puis y résister... C'est ma vie !...* Et ainsi Édouard Vuillard est mort, nous donnant cette leçon de ne pas confondre les dons et les avoirs de la France. Car c'est là la faute à ne pas commettre : s'imaginer que les ébénistes, les écrivains, les statuaires, les paysans français qui sont morts de maladie ou d'accident pendant la guerre sont morts de la guerre, que Vuillard est mort de la guerre, et Ravel, et ce bûcheron dont j'ai lu hier la mort, sur lequel le vent a renversé le plus gros chêne de sa forêt, et cet ami chef de gare qu'un train a écrasé. C'est renier le fond de notre vie, et notre avenir humain, qui est de voir nos talents et nos vertus se fondre dans les volontés du Seigneur et les malignités de la Providence... C'est le seul train resté normal, le seul dont l'horaire n'eût pas été touché, le seul train civil de France, qui écrasa mon ami... Voilà pourquoi la mort de Vuillard, au milieu de la guerre. — *C'est idiot pour un peintre de mourir en ce moment,* dirait-il encore. *J'aurais dû vraiment prendre plus de précautions avec mes poumons, ou mon foie, ou ma vésicule biliaire ; c'est comme si je prenais l'uniforme pour mourir. Eux d'ailleurs sont aussi coupables : ils auraient si bien pu avancer ou reculer leurs guerres de deux ans ; mourir dans une clairière de guerre, cela aurait été mourir civilement !* — voilà pourquoi la mort de Vuillard me donne plus que ce que m'aurait donné sa vie. Sa vie qui m'aurait donné la satisfaction, la possession, alors que sa mort me donne l'espérance. Je ne sais qui l'a soigné, je ne sais qui a eu le courage de faire ce geste qui, vis-à-vis de lui, était le geste même de Dieu, lui fermer les yeux, ni qui a peigné sa barbe encore vivante, mais je suis sûr que ceux-là ont éprouvé, comme tous ceux qui le perdent, au milieu de ces troubles, et de ces angoisses, ce sentiment pur qu'est la douleur civile, qu'ils ont entendu cette promesse qu'est la douleur civile. Et Descartes lui aussi est mort pendant une guerre, de son abcès pulmonaire. Et Rodin, de sa vieillesse. Et tous deux, comme Vuillard, nous diraient maintenant : — Regardez notre torse sans cicatrices, notre crâne, que ne perce aucune balle. Il n'y a pas le poinçon du dieu de la guerre sur nos corps, nos muscles sont détendus, notre visage satisfait, nous sommes des modèles de mort pacifique pour un peintre. Que nous puissions mourir si simplement, et si tranquillement dans ces guerres, que nous soyons donnés, non à cette mort des hommes qui détruit tout, mais à cette mort de Dieu qui arrange tout, et qui nous a tendu doucement et gentiment la main par-derrière la mort des armées, c'est la preuve, puisque la Providence pense à notre départ, qu'elle pense à nos remplaçants. C'est le principal. Tout va bien : nos peintres, nos écrivains, nos poètes naissent de leur naissance en ce moment, puisque nous mourrons de nos morts. Que pas un seul de nous ne fût mort depuis le dix mai, c'était l'indication que le destin ne comptait plus nous remplacer, que nous devions vivre sur nos réserves de génie, de force, de vision. Un destin français avare eût fait vivre centenaires Ravel, Proust, Debussy. Ils seraient morts aussi âgés que ces nègres de 152 ans dont on annonce dans les journaux que leur fils de 132 ans corrige leur petit-fils de 103. L'auteur de la *Chanson de Roland* vivrait encore. Molière serait là. Pas du tout. Molière n'est pas là : rien n'est perdu! Dans sa générosité, notre destin nous fait confiance et ne compte pas avec nos vies. Vuillard meurt. Tout n'est qu'avenir. C'était celui que le sort nous aurait conservé le plus longtemps, par pitié, comme prime à la mort de notre âme, c'était l'irremplaçable : il le fait mourir le premier. Tout n'est que remplacement de Vuillard. Tout n'est qu'espoir!...

Aussi pourquoi n'accepterais-je pas, aujourd'hui, sur ces plateaux du Velay et de l'Ardèche que je traverse, le legs que vient de me faire soudain Vuillard, le don de voir soudain humains et paysages avec ses propres yeux? Tout est Vuillard le long des routes, des accotements aux montagnes. Tout est ordonné par lui, les coquelicots sont dans le même champ, moins un qui est dans l'avoine, les bleuets sont tous dans un autre, moins la touffe qui est dans l'orge. Tout ce qui est Vuillard s'éclaire sur chaque être, sur chaque objet : le ruban jaune, le premier jaune d'après sa mort, s'avive sur les cheveux de la petite fille, la langue rose dans le chien. Et ce n'est pas seulement que ces contrées demi-sauvages et brutes ont naturellement la couleur et les apprêts du plus doux de nos peintres, c'est que la nature accepte définitivement, puisque Vuillard est mort, d'être vue par tous comme elle était vue par lui, s'enchante aujourd'hui de donner à tous en hommage à Vuillard mort et à Vuillard ressuscité ce qui n'était dû qu'à Vuillard, et fait de la France entière son pastel et sa couronne.

La Chaise-Dieu, 1940.

III

Polémique

DIEU ET LA LITTÉRATURE

Suzanne a Monsieur Daragnès [1]

Cher Monsieur Daragnès,

Vous voulez bien m'écrire que certains bibliophiles de Lyon, pour lesquels vous avez illustré mon voyage et ma solitude dans l'île, sont surpris de ne pas y trouver une fois mention de Dieu... Isolée quatre ans à Lyon, disent-ils, ne serais-je donc jamais montée à Fourvières ?... Je suis restée deux heures à Lyon, et je suis montée à Fourvières où je n'ai vu d'ailleurs que sainte Philomène... Mais des visites que Dieu m'a faites ou ne m'a pas faites dans mon île, personne n'en saura jamais rien. Dieu, d'ailleurs, tient-il tellement à ce que nous parlions de Lui ? Ne préfère-t-Il pas être un secret, à être une divulgation. Je n'assurerais jamais qu'à Dieu que Dieu existe. La croyance en Dieu est l'éternel début d'un amour, c'est-à-dire un silence. Toutes les pratiques religieuses, les processions, les offices, je ne les ai jamais suivies que comme les pratiques païennes de la

1. *Il s'agit de cette jeune fille qui demeura six ans seule dans une île.*

vraie religion, et mes prières n'ont été que des mots ou des recettes magiques pour me concilier cette ombre de Dieu qui protège mes regards du soleil de Dieu. Loin d'imiter sainte Blandine, j'aurais aimé être la martyre de la non-confession. On m'aurait mise face aux lions, ou au centre des roues chauffées à rouge, pour me faire avouer mon Dieu. J'aurais refusé mon trésor aux indiscrets chauffeurs. J'aime me le cacher à moi-même. Dieu non plus ne pense pas continuellement à Dieu. Il est possible, pour nous comme pour Lui, de vivre divinement notre vie habituelle, comme il l'est de vivre sportif une vie domestique, ou habillé une vie nue, par la légèreté des pas dans l'escalier et la façon de lever la fourchette à table. Ce que l'on appelle l'équilibre, est l'équilibre accordé à l'homme quand il a pour contrepoids ce Dieu qu'il ne discute et ne divulgue pas. Il ne faut pas avoir l'expérience de Dieu. L'expérience en tout est un horrible papier de verre. Pour celui qui voyage trop, ses yeux sont usés. Celui qui lit trop, il lotit son âme. Avec Dieu, ceux qui gardent l'âme fraîche sont ceux qui ne Lui posent aucune question ; ce sont les simples d'esprit. Soyez sûr que quand Dieu prie Dieu, Il prie par cœur. Il aime de nous aussi l'oraison machinale, et que chacun de nous soit une cire vierge sur laquelle sa louange a été gravée par un de ces artisans sans âge et sans pensée qui ont fait les prières.

Entre ceux qui prétendent la graver eux-mêmes, eutre les écrivains de Dieu, Il fait deux parts. Ceux d'abord à qui Il sait la foi. Mais Il ne leur a pas donné la foi pour qu'ils lui consacrent leur plume. La foi ne consiste point à spécialiser son travail dans la foi, puisque le travail est un acte de foi et le métier son église. Du menuisier qui monte ses chaises toute la semaine et sculpte un saint une fois l'an, et de celui qui sculpte ses saints toute l'année, le premier n'est pas le moindre. Il n'y a pas que les genoux dans nos corps, ni que la génuflexion en ce bas-monde. Puisque nous parlons des chaises, le pauvre derrière de l'humanité mérite aussi qu'on ne l'abandonne pas ; les mères qui allaitent, les élèves en classe, les cuisiniers fatigués, les prisonniers au retour de la guerre, ont besoin d'être assis, ils ont leurs pauvres fesses. Et celui qui rempaille les chaises quand elles sont fatiguées elles-mêmes, Dieu l'estime autant que celui qui tresse des boîtes en paille pour images pieuses. Et celui qui est spécialisé dans les accoudoirs de fauteuils, il vaut, à foi égale, celui qui vousse les rémissions dans les stalles. Et celle dont la profession est de bâtir les housses pour que l'on ne se serve pas des chaises, elle vaut celle qui ourle les chemises pour chasubles. Ce qui plaît à Dieu, c'est donc non pas que l'écrivain se consacre à la publicité divine et vante les arbres, les fleuves, les délices d'âme par rapport à Dieu, pour qui Il ne les a pas faits, mais par rapport aux hommes, auxquels Il les a destinés, c'est-à-dire use de la comédie, de l'idylle, et de la tragédie et du roman mondain comme de miroirs ou de fards pour sa vie propre. Et dans cette grande fête en travesti de son royaume et de l'enfer qui s'appelle la mythologie, Il ne lui interdit nullement de déguiser le diable en triton et l'ange en sirène, et il y a des formes heureuses ou magnétiques du ciel qu'il est permis de masquer en Vénus ou en Pallas. Ce sont des mannequins de saints, Il le sait, et tous les trois ou quatre cents ans surgit le faiseur d'hymnes qui rafle toutes ces belles étoffes et tous les mots de chrysoprase et d'améthyste et de saphir pour habiller leurs statues vivantes. Nous l'avons en ce moment. Il vit non loin du Rhône, dans l'Isère, et Dieu se réjouit de savoir qu'il y a sur la terre un homme qui est vêpres. Alors Il ne lui demande et ne lui donne rien, que d'être le plus grand poète ; Il le prie seulement d'aller à sa messe dès cinq heures du matin, pour qu'à partir de cinq heures et demie Il ait, pour toute cette journée encore engourdie dans l'ombre ou déjà mordue par l'aube, le loisir d'être vêpres par midi et par laudes et par quatre heures jusqu'à l'angélus de la nuit.

Tel j'imagine Dieu, et la seconde part qu'Il fait, c'est celle des écrivains qui doutent. Non pas qu'Il n'admette le doute. De là-haut Il le confond avec le voyage. De là-haut les bateaux qui cinglent vers leur Orient ou leur Ponant, ils colportent des cœurs pleins de doute. Et inversement. Celui qui doute, avec sa valise qui est un livre, avec son billet qui est son regard à doute, avec son bâton, qui est le crayon de son carnet à doute, il paraît un voyageur, presque un pèlerin. Le tout est que le voyage finisse, un beau matin ou un beau soir, devant le soleil dans son triomphe ou la mort dans sa gloire. Si donc l'écrivain qui doute est un homme qui doute, si d'un côté il écrit rayonnant de belles pièces sur *Don Juan* ou *la Folle aventure* pour un théâtre de stalles et de loges ruisselant de lustres à feux, si, de l'autre, soudain have et défait derrière les portants il transcrit à la dérobée sur son carnet la marche de son doute ; si d'un stylo de nacre et d'or offert par l'éditeur il conte avec délices le *Mariage d'Églantine* ou les *Joies du Ménage*, si dans un désespoir suprême il déchire et jette au feu le petit carnet ; s'il est reçu de l'Académie, habillé par Lanvin, s'il meurt tout nu, le dernier des hommes, Dieu lui permet ces alternances. Mais que son doute il l'ait fait venir du fond de sa conscience, comme on amène l'épice du fond des mers par des chemins sur vagues molles et sous des ponts à fausses ombres et des archipels mal peuplés, et qu'il en poivre sa langue, et qu'il en cannelle son héros et qu'il oigne ses femmes de sa girofle et de son gingembre, sans voir qu'il ne répand ainsi sur eux qu'une odeur de cadavre, cela n'intéresse plus Dieu. Puisque le métier de cet Ostrogoth est le doute, dit Dieu, qu'il n'écrive pas, car j'ai justement disposé dans l'économie et l'itinéraire du monde, sous les ormes et sapins, dans les greniers et cavernes, au bord des mers et ruisseaux, par les cafés et librairies, par les ladreries et léproseries et maisons du berger, avec le chien ou le corbeau ou le perroquet qui, quand il se tait, parodie le silence humain, toutes les stations du doute où il pourra dissoudre dans la neige ou la pluie son âme pourrissante ou la consumer au soleil de ma nature et de ma révélation. On n'a pas d'intrigue avec la foi, ni avec moi. S'il fait douter ses personnages, c'est qu'il n'est même pas capable de douter lui-même ; il y a un très mauvais nom dans le vocabulaire humain pour désigner ceux qui inoculent et qui inspirent et qui regardent. En tout cas d'eux mon regard à moi se retire...

Voilà pourquoi il n'est pas question de Dieu dans mes récits. Sur mon île, j'étais si nue, si orpheline, si seule humaine, si modeste, si éclatante, qu'Il a très bien pu me prendre, — surtout quand j'étais couchée sur le rivage, et que sa mer me caressait de flanc et que sa lumière m'illuminait de dos, entre la rime du flux et le silence de l'atoll —, pour un hymne endormi.

Millevaches, 1932.

[illegible] dans un article [illegible] de la [illegible] [illegible]

[illegible] Voilà pourquoi il [illegible] [illegible]

L'ESPRIT NORMALIEN

Il serait souverainement injuste que dans un livre consacré aux lettres françaises, il ne fût pas fait un signe à l'École Normale supérieure. En répondant à la critique que formulent contre elle ceux qui la méconnaissent et qui l'ignorent. Car, si elle est une des rares écoles de l'État dont les élèves soient en civil, elle passe cependant pour leur donner un uniforme à vie, qui est l'esprit normalien.

Il est exact, en effet, que l'École Normale soit une école spirituelle. Je ne dirai pas que tous ceux qui sortent d'elle ont de l'esprit, mais ils ont l'esprit. Ils sont les serviteurs de l'esprit, c'est-à-dire les adversaires de la matière. Ils n'acceptent pas le poids du monde, ni sa contrainte physique, en vertu d'une poche aérée qui leur permet de se mouvoir à l'aise dans cette vie sans espace, — et qui est l'esprit.

Ils ne sont pas évidemment les seuls dans ce cas en France. Mais la plupart des états spirituels s'y établissent généralement en vertu d'une vocation ou d'un renoncement. Les peintres, les comédiens, les écrivains obéissent à leur don de peindre, de jouer ou d'écrire. Les prêtres renoncent à l'exercice d'une vie dont ils soupçonnent le caractère infamant. Or, le normalien n'a généralement pas de don et assez peu de critique. Sa vocation, c'est sa naïveté. Il est seulement de race spirituelle. Sa caractéristique est justement qu'il ne voit pas la réalité, non point qu'il ne la comprenne pas, mais parce qu'il ne la soupçonne pas : donc qu'il y est perpétuellement à l'aise. Il ne connaît pas les crises de sa conscience, car il est de nature en règle avec elle. Ses récréations politiques, qu'il les prenne à sa gauche ou à sa droite, comportent le même haut degré d'euphorie, de théorie et de facilité. Il ne ressent pas non plus la pauvreté, car il n'est pour lui de richesses que spirituelles et il a la clef du coffre-fort : l'École Normale est une école de milliardaires.

L'esprit normalien n'est pas réservé à ceux que les hasards du concours ont amenés rue d'Ulm. Une race ne se détermine pas par des examens. La préparation à toute école est en général une concentration, un travail de chauffe artificiel et arbitraire, un exercice physique des facultés mentales. La préparation à l'École Normale est au contraire un choix et un relâchement. C'est l'ouverture, complète et sans retenue, octroyée à un esprit jeune, du domaine spirituel. C'est l'académie, la vraie, celle de Platon, celle du début de la vie et non celle de la fin. Le futur normalien, est dès ce moment, promu le familier des grandes morales, des grandes esthétiques, des grands auteurs. Il peut très bien rester petit et médiocre, mais il est de leur race. Il parle et écrit souvent bien mal leur langage, mais il n'use que de ce langage. On voit d'ici la somme de bavardage et de barbouillage que cette promiscuité peut entraîner, mais les grands auteurs en question doivent s'y plaire. D'autant plus qu'il ne s'agit pas d'une admiration béate.

Il ne s'agit même pas toujours d'une compréhension très vive. Les rapports entre grands écrivains et normaliens sont bien plutôt des rapports de pères célèbres à fils ou à neveux, ces jeunes gens gardant toute leur liberté et leur critique restrictive vis-à-vis d'aïeuls que cette franchise doit d'ailleurs séduire ; et ce lien du sang qui, par exemple, n'unira jamais Racine à Victor Hugo, le joint au contraire directement à quelque normalien agrégé de grammaire. C'est ce spectacle de famille qu'offre la Cour d'Honneur elle-même de l'École, où, de leurs loggias, les bustes de Racine, de Pascal, de Montaigne et de trente autres écrivains contemplent avec ravissement et attendrissement, vautré en bras de chemise et sans col sur le gazon, le jeune normalien en proie au délire qui lui dicte le deuxième paragraphe de son diplôme d'études sur la césure dans le vers anapestique ou sur la métaphore dans les hymnes d'Alamanni.

On voit par là que l'École n'est pas du tout un centre d'humanisme. C'est un assemblage d'êtres qui éprouvent le besoin de se réunir pour vivre une vie particulièrement et passionnément individuelle. C'est la règle monacale comme support d'existences anarchistes. Il faut être le chef de l'unanimisme pour y avoir vu, comme Romains, une cage d'unanimisme. J'y ai vu, au contraire, une série d'êtres absolument isolés, et accentuant l'isolement de leur esprit en se donnant largement aux gaietés communes. La spécialité du normalien n'est pas la communauté. Elle est plutôt cette adaptation sans heurt et assez étonnante d'une vie inventée à la plus saugrenue des vies réelles, par des transactions naturelles qui, au lieu de le déconsidérer, le rehaussent. L'École est l'assemblage des hommes qui se proclament le moins faits pour la bataille et qui ont eu proportionnellement à la guerre beaucoup plus de tués que Saint-Cyr, qui ont publié le plus grand nombre de livres et ont obtenu le moins grand nombre de gros tirages... J'ai l'impression que ces deux exemples suffisent à la définir.

L'École Normale est une école de réalisme spirituel.

INSTITUT ET INSTITUTEURS

Aucun exemple ne peut mieux illustrer les équivoques qui règnent entre les dirigeants de notre pays que la plus rapide considération sur notre Institut et nos Instituteurs.

Ce n'est pas ma faute si ces mots semblent jurer aujourd'hui d'être assemblés. Ils étaient faits pour l'être. A leur origine, ils sont frères. L'Institut devait être le maître intellectuel et moral de la nation, l'instituteur le maître intellectuel et moral de ses enfants. Celui-là et celui-ci tenaient de l'État, qui les avait créés ou nommés, l'autorité et la responsabilité la plus haute dans une France dont ils étaient le cerveau et la conscience, et que l'État n'entendait pas leur contester, à condition qu'elles ne prissent pas cette forme épisodique et sectaire qu'est la forme politique. Il était évident aussi que, pour être efficaces et souveraines, ces autorités devaient être conjointes et confiantes. D'où vient qu'aujourd'hui il ne reste rien de pareilles promesses et que ces deux mots, qui étymologiquement sont les mêmes, ressemblent si fort à deux frères ennemis ?

J'en vois les raisons dans deux erreurs, qui peuvent d'ailleurs être considérées toutes les deux comme le fait de l'Institut.

La première est sa négligence à réagir contre la tendance, de plus en plus forte en France, à établir des distinctions de race et de caste entre les divers éducateurs du pays et les divers enseignements. A mesure que la vie de la nation devenait de plus en plus libérale, sa culture lui était donnée suivant des principes de plus en plus restreints et conventionnels. Alors que le premier maître de l'enfance avait toujours été, sous les autres régimes, le plus respecté et le plus chéri de l'enfant et de la famille, il devenait habituel, sous la République, de prononcer le mot *enseignement primaire* avec quelque dédain et avec un clin d'œil de flatterie vers l'enseignement secondaire ou supérieur. Or le mot *secondaire* n'a de sens que numéral. Le mot *supérieur* est prétentieux. Le mot *primaire* est un mot magnifique. Il indique le caractère premier, essentiel, celui dont on ne se passe pas et qui passe avant tout. Le blé est primaire. Le vin est primaire. Pas le Saint-Honoré. Pas le Vouvray mousseux. Ce que les instituteurs étaient chargés de donner au pays, ce qu'ils lui donnent encore avec une compétence indiscutable, c'était le pain et le vin de la culture. Ils avaient droit, non seulement à la considération de cette élite intellectuelle que personnifiait et qu'était l'Institut, mais à son appui, à ses félicitations, à ses reproches, à sa fraternité. Mais jamais celui qui récolte ne s'est désintéressé à ce point de celui qui sème, et aussi de la semence distribuée. Vous chercheriez en vain le lien, le fil, l'onde par lequel les dispensateurs de notre éducation première peuvent se rattacher aux représentants de notre éducation suprême. Jamais l'Institut n'a favorisé le moindre contact, officiel ou occasionnel, avec ce collège instruit et enseignant dont il est pourtant le Sénat. Jamais il ne lui est venu à l'idée d'entendre ses vœux, de lire ses cahiers, de favoriser ou de combattre ses penchants, et, alors que le moindre prince balkanique, du fait qu'il chasse l'ours brun ou qu'il collectionne les timbres-poste, y a de droit son fauteuil et sa séance solennelle, jamais ses portes, pour ne pas parler de ses bras, jamais son audience ne se sont ouverts aux représentants de ceux sans lesquels il est bien vain d'espérer donner sa vraie union et son vrai rythme à la nation. On appelle Institut, en France, ce qui est fermé à l'instituteur.

Si, malgré cette ignorance et ce détachement systématiques, l'Institut avait entendu ne pas abdiquer son rôle originel, le premier dans l'État, celui qu'il devait à Richelieu et à Napoléon, celui de la direction intellectuelle du pays, le mal eût été moindre. Mais il semble qu'il ait de lui-même renoncé à ses attributions premières. Par une espèce de modestie, qui est le fait des grandes âmes mais la plaie des grandes institutions, il a décliné toute participation à la conduite de l'État. Par une discrétion qu'on eût souhaité moins excessive, — la discrétion dans les conseils et les cours des comptes du pays peut porter un nom moins honorable —, et comme si l'on ne pouvait dire son mot dans l'État que par la politique, il a renié ces principes d'induction et de haut chantage qui rendaient le Parlement et l'ancien Institut redoutés et écoutés de nos rois les plus absolus. Au moment où tous les chefs du monde, à part quelques Cobourg et quelques Bourbon, sont des produits de l'enseignement primaire, cette assemblée de professeurs incomparables s'estime satisfaite d'être le seul corps de la nation où la retraite comporte un uniforme. Elle comprend des autorités, des talents, des lumières. Individuellement ses membres ont leur influence. Individuellement ils ont leur éclat, leur génie, leur action, leur générosité. En corps, ils deviennent nuls, secs et d'une impuissance qui est l'impuissance type, car ils sont forts et se croient impuissants.

Aussi, si l'on excepte l'Académie des sciences que protège de la bouderie la distraction créatrice des inventeurs, en quoi l'Institut a-t-il aidé à la formation d'une France moderne? En quoi a-t-il soutenu ses traditions et indiqué son avenir? Nous avons une Académie des sciences politiques, qui rassemble les meilleurs économistes d'Europe et nos lois patronales ou ouvrières étaient les dernières du monde; une Académie des Beaux-Arts, et la France, dépecée par les lotisseurs, reste sans urbanisme officiel; une Académie française, où s'entasse la gloire, qui borne sa mission sociale à distribuer des primes aux mères de douze enfants; une Académie de médecine, cousine de l'Institut, qui, après avoir annoncé à l'univers que Paris allait élever enfin une Faculté de médecine digne de lui sur le seul emplacement libre, voisin du Jardin des Plantes, courbe la tête et renonce au premier mot des marchands de vins de Bercy, qui ne demandaient d'ailleurs qu'une entente. Tout écrivain, tout savant français, là où il va dans le monde, peut faire gracier des condamnés à mort. Notre Institut en bloc, dont l'annonce auprès de nos dirigeants devrait être un ultimatum, n'obtient même pas la promesse que le palais qu'il habite sera à l'abri des démolisseurs.

Entre l'Institut, voué ainsi par lui-même au silence et à l'apparat, qui refuse son rôle dans l'État, et les instituteurs qui le revendiquent, il semble donc bien que ce soit les instituteurs qui puissent se réclamer le plus justement de nos traditions et des exigences nationales.

S'ils ont recours pour cela à la politique, ce n'est pas moi qui les approuve, mais la défaillance de leurs frères aînés et de leurs guides naturels qui n'ont pas mieux su, dans un pays qui se glorifie de sa culture, défendre le prestige de notre enseignement et de ses maîtres, ne leur a peut-être pas laissé d'autre choix. Nous n'avons jamais réclamé de l'Institut que ceci : qu'il ait de lui-même la haute idée qu'ont de lui les Français soucieux de la France.

Paris, 1934.

PAUL CLAUDEL ET L'ACADÉMIE

Pour marquer le troisième centenaire de leur compagnie et inaugurer la première semaine du printemps, quinze académiciens se sont fait une fête de refuser à Paul Claudel l'accès de l'Institut de France. Techniciens des réputations françaises, ces quinze se sont déclarés incompétents pour la gloire mondiale. Je crois que certains étaient sincères. Certains ont assurément regretté de ne pouvoir élire au titre étranger ce créateur d'un langage nouveau pour eux et compréhensible pourtant sans effort, par extraordinaire, à la Belgique, à la Colombie et au Japon. On ne saurait mieux affirmer son patriotisme et son indépendance. L'indépendance consiste quelquefois à ne pas subir le chantage souvent injurieux qu'exercent les grandes personnalités et les grandes imaginations, à ne pas céder aux injonctions du prestige et de la dévotion universels : nos quinze ont voté en toute indépendance.

Du point de vue littéraire nous n'avons pas lieu d'être émus par cette non-élection. Personne n'en subira le moindre préjudice, et pas même le seul corps auquel elle risquerait de nuire, je veux dire l'Académie. Les écrivains français n'existent pas par l'Académie. L'Académie existe par les écrivains. Le lustre justifié dont elle éclate aux yeux du monde lui vient parfois beaucoup moins des écrivains qui la composent que des écrivains qui sont en dehors d'elle. L'Académie française tire son lustre actuel tout autant de Claudel, de Gide, de Jammes, de Péguy ou de Proust que de la plupart de ses membres ; et c'est assez généralement la lumière indirecte qui éclaire chez nous l'immortalité. Il est, dans la littérature académique, une ode célèbre dédiée au soleil inondant ses contempteurs. L'injure faite par les quinze au génie français ne peut retomber sur eux et sur leur collège, — du fait que Claudel continue à être un poète français et à écrire pour leur grand bénéfice, — qu'en auréole et qu'en honneur.

Mais l'incident comporte une caractéristique autrement scabreuse : c'est que cette élection ne diffère pas de ce que l'on est convenu d'appeler maintenant en France une élection. Nos quinze académiciens appartiennent certainement au corps de ces honnêtes gens qui se lamentent sur notre système électoral ; je citerais plusieurs d'entre eux qui dans leurs écrits et leurs conférences ont répété, avec quelle désolation et quelle conviction, que notre Parlement est comble de fausses réputations, notre pays mené par des faux-semblants. Ils devront se taire désormais, car je cherche vainement en quoi l'opération électorale menée par les membres du corps le plus illustre et le plus soigneusement recruté de France peut se distinguer de la pire élection cantonale. Eux qui sont, par fonction et par définition, la conscience de nos élites, eux qui se disent les seuls qualifiés pour détenir la baguette du sourcier et la pierre de touche, ils ont voté dans l'intrigue et la camaraderie, le compromis et le cousinage, bref comme on vote entre délégués des loges, des syndicats et des familles électorales. Ils ont mérité que l'on institue chez eux le vote plural, qui donne plusieurs voix aux pères de familles nombreuses. Bref, la politique académique ne s'est pas distinguée de la politique tout court, et elle n'a aucune de ses excuses. C'est en raison de sa surface électorale que nos quinze ont choisi leur candidat, et non en raison de ses mérites, qui peuvent être grands, encore qu'il soit déplaisant de penser que le dernier combat du président des Écrivains combattants aura été le combat contre Paul Claudel. La défaite qui a été réservée à l'auteur de l'*Échange* sur le pont des Arts est du même ordre que celle qu'il aurait indubitablement essuyée comme candidat à la mairie de Boulogne. Nos quinze académiciens ne se sont pas élu un confrère. Ils se sont élu un conseiller municipal.

C'est en cela que leur acte est fâcheux. Sans conséquence aucune en ce qui touche notre littérature, il est, au point de vue social, une espèce de faute. Il nous révèle que la méconnaissance de la responsabilité, l'ignorance des grands devoirs, la soumission aux préjugés et aux antipathies irraisonnées, sont devenues aussi l'apanage normal d'un Français que l'on ne saurait, en dépit de toute complaisance antiacadémique, appeler le Français moyen. Les hommes les plus justement réputés pour leur talent et leur désintéressement ont voté contre Claudel : je n'ose me demander pour quels députés ils votent. Notre seule consolation est de constater qu'à défaut d'écrivains, les cinq partisans de Claudel et la poésie aient trouvé à leur côté, indéfectibles, tout ce que l'Académie comptait d'archevêques, de maréchaux, de généraux et d'ambassadeurs. C'est une preuve que nous avons un clergé, une armée et une diplomatie ; que dans trois domaines au moins du pays prévalent le choix, la rigueur de l'intérêt public, et, dans le jugement, l'ampleur. C'est toujours cela, et l'élection de l'autre jour n'est d'ailleurs pas un précédent. Rappelons-nous que c'est Foch qui assura l'élection de Paul Valéry : cela aussi était une victoire. Mais que le Maréchal Pétain ait échoué dans le même combat pour notre pensée et notre écriture parce qu'il avait contre lui quinze de nos écrivains, voilà pourquoi les Lettres françaises se sont senties dans leur conscience à la fois profondément offensées et coupables, et pourquoi elles donnent aujourd'hui mission au moins officielle de leurs représentants d'exprimer publiquement ce remords et cette réprobation.

Paris, 2 avril 1935.

CARICATURE ET SATIRE

Plus j'avance dans la vie, plus je m'étonne de voir avec quelle apathie et quelle facilité l'humanité renonce aux deux seules armes sur lesquelles elle pouvait compter de façon un peu certaine comme recours envers la micro et la macrocéphalie, envers l'extrême stupidité et l'extrême orgueil, envers les méfaits de la poésie et de la presse, de la nudité et de l'habillement : je veux dire à la caricature et à la satire.

Je m'explique jusqu'à un certain point la décadence de la caricature, — par caricature je n'entends pas le dessin comique, mais l'outrance donnée aux formes de l'art, — dans un monde dont la moitié est athée et dont l'autre moitié considère ses croyances comme sa bourgeoisie. Je me l'explique du fait que la caricature est un art sacré. Son moteur est la vengeance à son degré le plus chargé, non pas la vengeance qu'un adversaire peut tirer d'un adversaire, mais celle que l'on peut tirer de soi-même, que l'homme peut tirer de soi-même en tant qu'homme, dans le dégoût ou l'hilarité que lui inspire le privilège d'appartenir à la race humaine. C'est la religion qui a mis à la disposition du caricaturiste son principal canevas, le canevas même de la nature humaine, le squelette. Toute bonne caricature dérive de la danse macabre. L'art primitif n'a même d'autre but que de présenter aux dieux l'homme dans sa laideur et dans son ridicule, pour amadouer leur jalousie et détourner leur colère. Ou bien, pour témoigner de l'imbécillité et de l'effroi humains, de les représenter eux-mêmes dans l'extravagance et dans la déraison, comme à l'île de Pâques ou chez les Incas. Dans les époques de foisonnement et de croyance, c'est pour l'homme une question vitale de se maquiller ; il ne peut exister que si les dieux le croient contrefait, bossu, borné ; si tout ce qui est sa gloire et sa beauté, le front des hommes, la gorge et les reins des femmes, incite à la pitié le grand spectateur, et si est bannie du visage la sérénité, objet de méfiance, au profit du rire et du rictus. De si haut et dans leur fatuité ou leur amour, les divinités ne distingueront pas entre ces symboles parodiques, interpréteront comme des maladresses les plus gigantesques insultes, et ainsi sera réservée et préservée, par l'outrage même qu'elle s'inflige, la liberté humaine. Comment subsisterait-il une trace, même légère, de cette furie vengeresse dans un monde qui n'admet plus la menace ni pour l'esprit ni pour l'œil, et qui maquille tous les Mané, Thécel, Pharès en obligeant les lettres de feu à ne lui répéter que les mots les plus rassurants, Byrrh, Valda ou Aspirine-Rhône ? Seule la sculpture ose encore, et avec quelles précautions, venger, aux dépens de l'humanité qui existe, celle qui n'existe pas. Depuis Sade et depuis Daumier, c'est vraiment le congé des archanges.

Voyez par exemple la peinture occidentale ; il s'en faut de beaucoup qu'elle ait fourni à l'homme ses pires vengeurs. La conclusion qu'un visiteur non prévenu tire de ses voyages dans les musées d'Europe est au contraire l'innocuité complète et l'innocence de nos peintres. Alors que chaque individu est au fond sa propre caricature, ils ne nous donnent guère que des reproductions angéliques de l'humanité. La galerie humaine qu'ils nous ont dressée est une suite de chromos magnifiques. Il est hors de doute que la prépondérance de la peinture italienne à partir du moyen âge est la cause de cette mise du dessin et de la couleur hors du jeu humain et divin. Alors qu'en Hollande, en Espagne, en France, la peinture s'apprête à être, comme la littérature, un art de libre critique et de libre vision, les peintres italiens, et leurs suivants, habitués par métier originel à orner les palais et les églises, ne peuvent se défendre de peindre l'homme comme un riche ou comme un saint. Aux gages d'un prince ou d'une mode, ils n'ont pas d'autre mission que de livrer dans le meilleur état possible cette commande de belles couleurs qui correspond pour la famille ou le siècle à ce que sont les produits de beauté pour l'individu, et n'ont pas plus de liberté vis-à-vis de leur art, qu'ils s'appellent Raphaël ou Van Dyck, qu'ils n'en ont vis-à-vis du pape ou du roi. L'homme n'existe plus, le modèle existe. De l'atelier de Luini aux académies de la Grande Chaumière, la vie est retirée aux millions de vivants et confiée à un être dont les proportions deviennent pour le peintre, en raison de leur rareté même, les proportions courantes de ses personnages. C'est en somme à cette réfection facile et inlassable des grands tableaux historiques ou familiers de l'humanité, substituant de beaux corps, de beaux visages, jusqu'à de beaux habits, aux véritables acteurs contrefaits, poilus et sales, que s'est livrée depuis la Renaissance la peinture classique, encombrant les musées de gigantesques miniatures, mais déchue à ce point de son rôle primordial qu'il lui a été jusqu'à ce jour interdit ce qu'elle avait réalisé dans toute civilisation, orientale, nègre ou arienne, dans ses fresques bouddhiques ou ses verrières gothiques : donner à chaque époque son spectre et son décor. On peut dire qu'à part les peintres en bâtiment et les peintres charrons, tous ces peintres n'ont existé et travaillé que pour un collectionneur, et un collectionneur bourgeois. Nous voyons très bien, et sans regrets, toutes les madones, tous les saint Sébastien, tous les Corot, tous les Reynolds, propriété de la seule Mrs. Gardner ou du seul Mr. Widener, assis au centre de leur galerie sur un fauteuil tournant, tournant sans cesse : c'est d'ailleurs à peu près leur sort et c'était leur objet.

Les raisons pour lesquelles la peinture a suivi si docilement cet appel à la satisfaction de soi-même et à l'émasculation sont de deux ordres. En premier lieu, il est hors de doute que le peintre, beaucoup plus que le sculpteur, s'est fait un métier qui le rend particulièrement heureux de la nature et de soi-même. Depuis qu'il ne manie plus le pinceau à deux mains, comme ses confrères cafres ou romans, le fait de peindre, palette dans une main gauche immobile et tendue, l'amène à une sorte d'hémiplégie et le voue à toutes les joies de foyer et de tranquillité dévolues à cette affection. Lié par profession au soleil et à la lumière, il imagine l'être par une parenté, et ose rarement, pour des raisons de superstition, les tourner en dérision. L'impondérabilité des matériaux avec lesquels il travaille le fait croire à leur éternité. Le sculpteur sait que son œuvre sera exposée aux orages, à la neige, à la foudre ; — un bolide peut très bien tomber sur une statue en plein air, —

il sait que la première levée de marteaux dans toute révolution en fracassera le nez ou le menton, et il l'a confiée, ou plutôt il l'abandonne, au marasme universel. Il sait qu'elle n'est que du marbre, du bois, du fer : de la poussière, et la redonne à la vie éphémère et à l'éternité du végétal ou du minéral. Le peintre, au contraire, plein de confiance dans le vernis, le glacis, et le verre, mise sur le bonheur de l'humanité bourgeoise et l'universalité du chauffage central. L'agrément de son métier lui interdit de commettre l'offense à l'humanité, dont les autres arts se rendent à chaque instant coupables, et surtout l'offense à la peinture, — cette offense à soi-même dont l'art d'écrire par exemple a fait tout son besoin. Courbet se révolte contre l'architecture, contre la colonne Vendôme, mais il ne lui vient pas à l'esprit de se révolter contre le Sacre de David, et c'est à un médecin, Lavater, que le dessin a passé son acharnement contre le visage humain. Depuis l'année 1500, la couleur n'a plus déterminé de paniques, de révolutions, de prières en commun, d'angoisses publiques. Il a seulement été découvert et perfectionné par elle une nouvelle sorte de caresse et de crème à visage.

On conçoit tout le parti que devait tirer, de cette tendance au bonheur et à la prostitution, des civilisations bâties sur la religiosité sans religion, l'égoïsme social et la politesse. S'il était possible de supprimer la couleur et le dessin des préoccupations d'état, quelle tranquillité pour elles!... Tout ce qui, dans la peinture, était dénonciation de la vraie forme des hommes, étant menace à la sécurité de l'esprit et de l'œil, pourquoi ne pas profiter de la connivence même des peintres pour le bannir! Il y avait encore, pour l'esprit de conservation bourgeoise, une chance d'obtenir, en peinture, l'équivalent d'une littérature sans Rabelais, sans Swift, sans Érasme et sans Voltaire! Il suffisait d'amener les peintres à croire que tout ce qui, dans leur métier, n'était pas sérénité complète mais satire et alerte, doute et leçon, était réservé à une entreprise mineure. On feignit de croire que la critique humaine qui rayonnait de Breughel, qui malgré toute contrainte surgissait à nouveau sur la Gironde et la Tamise avec Goya et Hogarth, avait besoin, pour s'exprimer, de la littérature, de textes et d'esprit. On donna la parole à la couleur. La presse naissait et réclama de la peinture, des graffiti pour un public illettré. Le mot Légende fut choisi pour désigner le texte le plus aride et le plus prudhommesque. Ainsi le pouvoir créateur et satirique de la peinture fut enlevé aux grands peintres et donné aux mauvais littérateurs. La caricature était née. Ainsi fleurit pendant tout un siècle, sur le terrain du plus grand des arts et sur sa jachère, l'art secondaire dont nos journaux aujourd'hui ne peuvent plus se passer. Il faut bien constater qu'un de ses principaux caractères est celui d'une extrême servilité envers la société et le régime humain qu'il morigène. Le siècle bourgeois a entretenu les meilleurs rapports avec les caricaturistes, ému de retrouver hebdomadairement chez le barbier leurs inoffensifs chatouillements à l'heure du shampooing, ou tapissant du *Charivari*, à la campagne, dans on ne sait quel accès d'humilité ou de revanche, les murs du réduit intime que nous avons ainsi tous connu habité par Grévy et Wilson, Dreyfus et Victoria, Henri Brisson et Krueger. Nous nous en consolons.

Mais que la satire, — genre littéraire anodin et qui ne demande ni la fin du monde ni le voisinage du Léviathan ; qui est un art foncièrement loyaliste envers l'humanité, puisque, loin de contester l'à-propos de son existence, il prend au sérieux ses vertus et ses travers ; qui fait appel aux deux humeurs où elle se complaît le plus, le dénigrement et l'indignation, — n'ait plus chez nous ses lettres de créances, c'est ce que je trouve le plus difficilement explicable. En France particulièrement la bourgeoisie lisante et pensante n'admet plus, en dépit de toute gale, cette fourchette à gratter le dos. Elle tolère l'insulte, la calomnie, la médisance. Il ne viendra jamais au régime ou à l'opinion publique l'idée de protester contre la grossièreté ou la vulgarité des discours ou des articles, justes ou injustes. Elle tolère même le talent, à condition qu'il ne comporte pas l'ironie. Elle tolère celui qui la fustige, à condition que ce soit avec considération. Mais il n'est pas jusqu'aux formes secondaires de la satire, le persiflage ou la parodie, qui ne lui paraissent condamnables et qu'elle ne s'ingénie à faire prendre pour des délits de lèse-humanité. Ni surtout jusqu'à sa forme première, qui est la poésie. Et ce n'est pas chez elle le réflexe d'un organisme noble et surchargé qui admet la mort et ne supporte pas la piqûre. Ce n'est pas non plus cette paresse d'esprit, de l'esprit, qui amène l'intolérance de l'humeur comme la paresse de l'estomac amène celle de l'intestin. C'est simplement de l'intolérance. C'est le dépit de constater, à la lecture, qu'il y ait des critiques qui ne sont pas les critiques officiels, des inspirés qui ne sont pas les poètes lauréats, des juges qui ne sont pas les juges à marteau, bref que la question des régimes établis, des situations consolidées, des tyrannies et des habitudes, se posera toujours tant qu'il y aura des écrivains, et qu'ils seront libres de cette liberté suprême, qui est la gaîté. Oui, il paraît, c'est affreux, que Léon-Paul Fargue est gai.

Le désintéressement de la gaieté devient plus suspect que l'espionnage ; la satire est un espion qui rit, et qui nous dénonce, non aux autorités reconnues, ce qui serait légal, mais à tout ce et à tous ceux qui n'ont rien à voir dans l'affaire, aux jeunes gens, aux jeunes filles, à la saison, à la mode, et, par l'emploi de cette ironie proprement insupportable, dont l'autre joue est l'inspiration, qui nous donne l'impression d'être jugés par une autre race, moins sérieuse que la nôtre. C'est ce tribunal d'oiseaux, de lapins, de biches, institué jadis par Aristophane et notoirement incompétent en matière civile, commerciale et internationale, que le monde entier s'occupe actuellement à récuser, dans la crainte peut-être que surgisse le nouvel Aristophane... Le vieux est mort de rire en voyant un âne manger une figue de Barbarie. C'est bien fait... Que Léon-Paul Fargue réfléchisse à cette triste fin, quand il nous regarde en riant manger la nôtre...

LA BÊTE ET L'ÉCRIVAIN

Je m'en voudrais de jeter le moindre discrédit ou de vouloir exiler de notre littérature ces tendres ou burlesques parodies de l'homme qui y ont été présentées jusqu'ici sous le nom d'animaux, que leur dompteur ait été Phèdre, La Fontaine, Kipling ou Mme de Ségur. Je m'en voudrais de trop attirer l'attention sur le fait que, d'après leurs récits, la plupart même des chasseurs de lions ou de gorilles, d'aigrettes ou d'autruches, semblent simplement chasser une variété sauvage de l'homme, de la femme pour les deux dernières, et sont eux-mêmes la variété la plus caractérisée d'homicides. Je désire simplement, par ce modeste monument, noter l'époque, peut-être d'ailleurs éphémère et fugitive, où il serait possible à l'écrivain de voir enfin dans sa vérité ce compagnon qu'il a jusqu'ici masqué jusque dans les manuels d'histoire naturelle et les contes de fées : la bête.

Ceux qui savent voir n'en doutent déjà plus. Notre ère de nudité, qui a redonné notre corps au soleil et aux eaux vives, a dénudé aussi et enfin les animaux. Un animal n'est plus le travesti d'une qualité ou d'un ridicule humain. Les zèbres pomponnés de Réjane, le caniche frisé de Bulow, jusqu'au bœuf du Mardi-Gras, ces invités forcés de notre civilisation, ont repris leur indépendance et leur poil, depuis que nous avons repris notre peau. Colette, qui marche pieds et âme nus, a eu la première près d'elle de vrais chiens et de vrais chats. Sur la plage le danois va enfin nu et tacheté près de sa maîtresse nue et unie. Tigres, rhinocéros, chacals, ont rendu au vestiaire cette cruauté, cette stupidité et cette hypocrisie humaines que leur avaient confiées naturalistes et fabulistes, et ne sont plus que tigres et que chacals. L'homme n'est peut-être pas parvenu à reconstituer l'animal homme, mais il a été obligé du moins de restituer, comme une annexion injuste, l'animal à l'animalité. La vérité de Toussenel et de Maeterlinck a cédé à la vérité de Hagenbeck et des haras du Pin. La guerre, avec son carnage, sa réalité, et sa danse, n'a pas peu contribué elle aussi à relâcher dans le monde non plus, — puisqu'il y a, paraît-il, cinq cent mille espèces, — cinq cent mille miroirs pittoresques ou déformants de nos propres tics, mais cinq cent mille créatures neuves. Bref, pour la première fois, l'homme n'est plus seul sur la terre. Il est cinq cent mille et un.

Premier gain : libéré de cette alliance complète avec l'homme, qui faisait de lui chez les peuples latins catholiques un allié subalterne dont le destin semblait dépendre aussi des décisions du Concile de Trente, libéré de cette déférence charitable, distante et vaguement sadique qu'il inspirait aux peuples protestants, l'animal s'est débarrassé sous nos yeux du péché originel. Son sort est devenu différent du nôtre, il n'est plus de s'encastrer tant bien que mal dans une vie humaine, sans espoir de suivre le maître dans ses migrations. Nous ne sommes plus solidaires devant la morale et l'esthétique, ni désolidarisés devant la religion.

Mortes aussi, désuètes, ces analogies faciles par lesquelles les littératures nous faisaient fraterniser avec la bête, logeaient en nous du venin, de l'instinct et des griffes. C'est justement dans ce moment où il est le plus cruel, le plus avide, où recommence pour lui le combat premier, que l'homme s'aperçoit combien il est unique et combien de nature il diffère de ces compagnons d'existence dont il ne porte en soi que la parenté physique, sous forme d'arête avortée ou de queue naine. Toutes les comparaisons avec les fauves ou les gallinacés ne valent pour l'homme qu'en temps de paix ou de bonheur. Dans les heures de guerre et de peste se reconstitue l'homme archange, et il n'est pas un de nous qui n'ait senti, les matins de bataille, s'évanouir en lui ce chat ou ce cerf ou ce coq par lequel le symbolisaient les plaisanteries de ses camarades, et n'ait perçu soudain son indépendance absolue vis-à-vis de toute flore ou de toute faune. L'adjudant à tête de navet, le mitrailleur à menton de belette, l'agent de liaison à nez de cheval étaient lavés, dès le premier éclatement d'obus, d'une ressemblance animale ou végétale qui ne les reprenait qu'à la mort.

Tout concourt ainsi à redonner aux bêtes cette existence réelle qu'elles gardaient encore pour les enfants, mais que les adultes percevaient si peu qu'ils étaient obligés, de l'antiquité au moyen âge, pour ressentir la présence du vrai bestiaire, d'imaginer les bêtes fantastiques. La création de la licorne, du dragon, du griffon, vient seulement de cette impuissance à voir dans leur statut premier la pouliche, le lézard vert, et le chat. Ainsi nous prétendons à être débarrassés de ces naturalistes qui, dans un langage dont aucun mot n'arrivait à toucher le poisson derrière sa vitre ou le fauve derrière son grillage, comparant les insectes aux vertébrés, les vertébrés aux fleurs, les fleurs aux femmes, nous donnaient ces chevaux de Buffon ou ces oiseaux de Sonnerat qui ne sont que des figures pour le blason de l'homme, ou ce chien de Linné, d'une humanité à ce point obsédante qu'il convient d'en reproduire ici le portrait, et de libérer ainsi de son Cerbère l'entrée de notre Zoo reconquis :

— *Le chien*, dit Linné, *se nourrit de chair, de charogne, de végétaux farineux, mais non de légumes, digère les os, se purge en mangeant des feuilles de chiendent qui le font vomir, dépose ses excréments sur des pierres, boit en lapant, pisse de côté et souvent jusqu'à cent fois de suite, flaire l'anus des autres chiens, a l'odorat excellent et le nez humide, court obliquement, marche sur les doigts, sue à peine, tire la langue lorsqu'il a chaud, tourne autour des lieux où il veut se coucher, dort l'oreille au guet..., rêve. Il est cruel en amour envers ses rivaux. Il fait des caresses à son maître, il est sensible à ses châtiments, il le précède, se retourne quand le chemin se divise ; il cherche les choses perdues, annonce les étrangers, garde les marchandises, les brebis, les rennes ; les défend contre les loups, les lions et autres bêtes féroces qu'il attaque ; il reste près des canards, rompt le filet de la tirasse, se met en arrêt, rapporte. En France, il tourne la broche, en Sibérie il tire le traîneau, partout il conduit le mendiant aveugle. Quand il a volé, il marche la queue entre les jambes, il mange en grognant. Il n'aime pas les étrangers, il attaque sans provocation ceux qu'il ne connaît pas, il combat avec son maître sans crainte d'aucun danger jusqu'à la mort. Il lèche les plaies de son maître, aime ses enfants, ses vieux parents, avec une tendresse particulière. Malheureusement il est sujet au tænia et à la rage, et devient borgne sur ses vieux jours...*

Tels étaient les animaux des fabliaux, de Racine, —rappelez-vous le monstre cachalot qui tua Hippolyte,— de Maupassant lui-même, et avec des queues et des ailes un peu plus stylisées, des symbolistes. Leur relève par les animaux primitifs et non littéraires a commencé.

Libre donc à l'écrivain, dans cet éden reconstitué, de se laisser pénétrer par les trois vertus de la présence animale.

La première s'énonce ainsi : elle exclut le lieu commun. L'animal échappe à cette malédiction de la pensée et du geste en commun qui est la honte de l'humanité. L'animal ne dit pas : — Jamais deux sans trois, ou — C'est toujours quand on cherche qu'on ne trouve pas, ou — Je te l'avais bien dit... S'il avait ce langage articulé qu'il désire si peu, on a bien plutôt l'impression qu'il dirait : — Jamais deux sans deux, ou — C'est quand on trouve qu'on trouve, ou — Je ne l'avais jamais dit. C'est en tout cas ce que disent le rossignol et l'alouette, les seuls qui savent parler. Le mugissement des bêtes, leur appel, si invariable et borné, n'est jamais une redite. Les trois coups du vautour frappeur, le sifflet du roller à moustaches blanches, le tintement de l'oiseau de Melbourne, la syllabe voyelle du gnou paraissent toujours, au milieu des conversations usées des visiteurs, taillées dans un son neuf. Jamais un cri différent, et jamais une onomatopée et jamais un pléonasme, et il en est de même de leurs mouvements. On attend encore, dans leur règne, le geste qui correspond au petit doigt relevé de la nouvelle riche qui boit ou du nouveau riche à son volant. Tout animal est le mannequin indéformable d'une certaine forme d'honneur. Sa vie brève ne donne donc jamais qu'une impression de vie indéfinie, sa vie précaire que d'une vie riche, car il a su réprouver aussi ces deux biens sur lesquels est fondée l'existence humaine, le respect des morts et l'usage du feu. La maladie même ne l'atteint que noblement, comme une blessure. On est assuré de peu de chose en ce bas monde, mais c'est déjà une assurance, de savoir qu'aucun animal n'a à apprendre la politesse à ses petits, ou ne dira d'un animal défunt : — S'est-il vu mourir ?

La seconde vertu, le second exemple, est que cette présence dans l'univers est désintéressée. Vis-à-vis d'aucun animal l'homme n'a le sentiment d'avoir affaire avec un cadet, avec un succédané besogneux, avec un chômeur, et cette impression n'est pas fausse, car depuis l'arrivée de l'homme sur la terre et dans la science, il ne s'est guère créé, par sa collaboration, que la variété à yeux blancs de la mouche du vinaigre, le bœuf à tête de bouledogue, et peut-être le pigeon culbutant, tous d'ailleurs inutiles. L'animal n'attend rien de l'homme, et lui a tout donné. Il l'a précédé ici-bas, il a combattu pour sa vie, pour la vie animale dont il n'a gardé généreusement que le minimum de ce qui lui était nécessaire. Jusqu'au singe y compris, pas une bête qui ait réclamé plus de vie et plus d'âme que n'en demandait sa définition. Si tous les mots à contraire, égoïsme et générosité, vice et innocence, vanité et humilité, n'étaient rayés du vocabulaire animal, on pourrait dire que la raison des animaux est la modestie. Il doit certes apparaître, dans leurs espèces, des sujets éclatants, moineaux ou éléphants, qui doivent correspondre à nos hommes de génie... J'ai connu un canard de ce genre... Mais l'intelligence et la bonté, au lieu de dépasser sa race, ne faisaient qu'en souligner la candeur et l'absence de concurrence et de compétition avec la race humaine. Tendres précurseurs désaffectés, admirable musée du souffle et du mouvement, n'habitant plus la terre, depuis que l'homme est né, que comme une arche de Noé où se conservent les archétypes, ils apportent, partout où ils bondissent ou se posent, un désintéressement de vie antérieure. Le spectacle de ce refus d'exploitation intensive de soi-même et des autres, de sa vie et de son éternité, résumé sous cette forme toujours parfaite, est vraiment le repos suprême. Même la danse des enfants humains, seule opération non avide de leur race, paraît grevée d'hypothèques et d'intentions auprès de la danse des antilopes de l'Ouganda.

Et il reste leur magie. Ni la noblesse ni le désintéressement ne suffiraient à expliquer l'attention mêlée de respect et de crainte que nous inspirent les bêtes. Les quelques exemples nobles et généreux de l'humanité, enfants et inventeurs, en savent quelque chose. Leur état de frères inférieurs, comme disent les sociétés protectrices, l'explique encore moins. Si nous nous trouvions en présence de l'homme de Neanderthal ou du Magdalénien, frères plus qu'eux, et cette fois véritablement inférieurs, nous n'éprouverions guère que la curiosité et la pitié. Le seul fait que la pensée soit apparue dans un crâne, le seul fait qu'elle menace d'y apparaître, comme chez certaines espèces anthropoïdes, dépossède le bénéficiaire, et définitivement, de sa royauté native et de sa force occulte. C'est ce pouvoir que notre cœur moderne peut réclamer des animaux les plus domestiqués, si nous le voulons, et pour notre bien. La vie humaine, l'inspiration humaine, incertaine en soi, de souffle peu actif et assez mélangé, a besoin plus que jamais autour d'elle d'un induit pur et brut, qui ne peut être que la vie animale. Ne renonçons plus, quand la chouette tourne autour de la maison, quand le hibou arpente les combles de son pas de grenadier, quand le renard glapit, à cette montée de tension vitale qui gagne le village noir, quand la panthère circule autour des cases. Dans le marquetage des fourrures, l'ajustement des écailles, retrouvons cette algèbre magnétique que nous avons oubliée, et reprenons la lecture interrompue depuis deux mille ans, la plus exaltante, du dessin des empreintes laissées sur le monde amolli de rosée, si émouvant, traces et pesées, à côté de cette danse et de ce sommeil des hommes qui ne marquent pas... C'est à l'écrivain d'être alors ce sorcier nègre, qui va en rampant, de sa main fermée, mêler à toutes ces pistes lourdes et légères, pour leur donner leur sens et comme on ajoute un poids au filet, une fausse piste de lion...

Telles pourraient être les premières règles du nouvel art poétique auquel nous amènent les nouvelles bêtes. En fait, je me sens bien peu qualifié pour être celui qui les lâche dans leur domaine neuf. Si je participais aux anciennes erreurs, il serait pittoresque de passer cette mission au seul être qui soit naturellement isolé des autres êtres, qui ne s'apparente pas, comme l'écrivain ou le lamantin, à des espèces vivantes cousines : je veux dire à l'Ornithorynque. Lui seul serait qualifié, au nom de l'ancienne littérature animale, dans sa solitaire et aristocratique situation de monotrème, pour juger impartialement ces cinq cent mille espèces auxquelles ne le relient plus que des caractères aussi vagues que des métaphores... Pour moi, terriblement verrouillé dans mon compartiment de mammifère non volant, dénué à un point incroyable de la faculté de pondre des œufs et de dissimuler des piquants dans ma fourrure ou des dents dans mon bec, je n'ai guère qu'un titre à faire précéder de l'écriture humaine le nouveau visage des bêtes : je n'ai jamais humilié un animal devant ses petits.

DE SIÈCLE A SIÈCLE

Conférence prononcée à l'occasion du centenaire de Hernani

1830, 1930, je voudrais, aujourd'hui, par une comparaison précise entre ces deux dates, tenter d'approcher et de définir celle qui nous échappe le plus, c'est-à-dire la nôtre. Toutes deux, à première vue, semblent clore et ouvrir des époques analogues. Elles ferment des guerres et ouvrent sur la paix. Elles lâchent, dans la vie littéraire, des générations échappées aux routines classiques de l'éducation et formées par l'expérience. Elles distribuent, à quantités favorables d'ailleurs pour 1930, dans le trafic intellectuel, les insatisfaits, les blessés, ceux aussi qui sont mutilés dans leur âme, les êtres dont l'équilibre rompu amène sur de nouveaux plans le talent et la sensibilité. Le même écho de liberté et d'impatience arrivé jadis de l'Amérique du Sud parvient aujourd'hui d'Orient, d'Extrême-Orient, et d'une Europe encore inconnue à l'Europe lasse et égoïste. De sorte que, tout naturellement, nous sommes conduits à imaginer chez nos aînés d'alors une part des sentiments qui forment la dot de notre jeunesse, et que quelques-uns d'entre nous, de confiance, se sentent disposés à devenir les frères et les sœurs de ces arrière-grands-pères et de cette sensibilité qui a cent ans. Approchons-nous d'eux ; la lueur des fantômes est encore la plus claire de celles qui nous rendent visibles à nous-mêmes.

Par quoi cette année 1830 s'est-elle imposée, non seulement dans l'histoire littéraire, mais dans l'histoire en général, comme une année initiale, comme une date de révolution dans les idées et les mœurs ? J'ai voulu, par conscience, en connaître les événements et le détail. Toutes les chroniques m'en ont donné la même description. Loin d'être une année de romanesque et de divagation, elle apparaît étonnamment bourgeoise. J'appelle bourgeois ce qui est, par opposition à tout ce qui tend à être... C'est une année, non de rêveries, mais de crimes. Les causes criminelles y pullulent, dont plusieurs sont devenues célèbres : l'assassinat de Paul-Louis Courier, par sa femme ; le procès du prêtre Frilay, adultère et meurtrier ; l'exécution des jeunes filles incendiaires de Caen. Une révolution bourgeoise, où *La Marseillaise* est remplacée par les poèmes de Barthélemy. Des disputes entre agents de change et notaires parisiens. Un poète voleur qui, de Montargis, avait voulu conquérir Paris, qui décida de voler parce que Béranger n'avait pas répondu à sa lettre, et fut condamné à fabriquer des manches de couteau à la prison de Poissy... Les lames étaient fabriquées à Thiers, par des hommes en liberté couchés sur le dos dans l'atelier pendant quatorze heures... De longues controverses entre savants et chroniqueurs de journaux sur la durée maxima de la vie humaine, souci compréhensible dans une société satisfaite, mais non à une époque romantique. Bref, une année qui semble appartenir toute à Balzac, et non à ceux qui nous occupent.

Un seul événement remplace à lui seul tout ce qui devrait marquer une révolte de la France passionnée, remplace les suicides, les divagations, les luttes contre les dominations philistines et autres, et c'est la représentation d'*Hernani*. Nous avons beau chercher. C'est bien là le projectile, et le seul projectile qui fut lancé, cette année-là, contre le jeune siècle. 1830, c'est *Hernani*, c'est la victoire d'*Hernani*, et le siècle non seulement a semblé obéir, mais a obéi à cette victoire, dont nous célébrons en ce moment le centenaire. Quel était l'enjeu de la bataille ? Qui de nous l'a gagnée ?

Un premier aveu. Ce centenaire ne nous a pas émus. Nous avons fêté *Hernani* non comme une recette de jeunesse, mais comme nous fêterions vraiment un aïeul qui aurait cent ans, tout heureux de constater qu'il n'a pas perdu la plénitude de ses facultés et qu'il sait chanter à table sa chanson. Or, à cent ans de distance, à l'intervalle de la plus longue vie humaine déployée, les émois, les éruptions de l'humanité trouvent généralement leur vraie résonance. Centenaire de la mort de Jeanne d'Arc, de la fuite de Luther, de l'arrivée du petit Napoléon à Brienne, alors nos oreilles bourdonnent. Ceux qui ont assisté, voilà quelques années, au centenaire de la naissance du petit Pasteur, au centenaire de cette journée d'enfant qui a tant compté pour les hommes et leurs amis les animaux, ont eu l'impression de célébrer l'anniversaire d'une joie, le terme d'une souffrance, l'anniversaire d'un de ces martèlements par lesquels le cœur humain prend sa flexibilité et sa force. Nous avons célébré, voilà dix ans, le tricentenaire de Molière. Nous nous sommes tous rendu compte, ce jour-là, que le centenaire d'un grand homme, d'une grande époque, c'est une de nos naissances. Or, ce n'est ni une gratitude de cet ordre, ni une émotion que nous inspire le centenaire d'*Hernani.* C'est bien plutôt une sorte de sympathie amusée, de relâchement de notre goût habituel, bref un sentiment dont le manque de force a pu déjà jeter dans notre esprit quelque soupçon sur l'ampleur morale de cette révolution. Si un grand homme est une vengeance, Victor Hugo, ce jour-là, ne nous a vengés de rien. Si une grande œuvre est une de nos naissances, rien de nous n'a pu naître le jour d'*Hernani.* Ce que ces jeunes gens pleins d'ardeur et de génie, la poitrine et le cœur recouverts d'une housse rouge, voulaient donner au monde, c'était, non pas un sens des mots, une vertu des caractères, mais un vocabulaire plus éloigné de la pensée et du sentiment que tous les vocabulaires passés et futurs. C'était le costume et, par conséquent, la défroque ; la couleur locale et, par suite, l'antiquaille, et ils ouvraient les avenues du bourgeois français, non à une fermentation et à un danger, mais aux treize mille antiquaires qui occupent maintenant tous les points stratégiques du Paris intellectuel. C'est à tous ceux qui vivent du bibelot et du décor de s'assembler aujourd'hui autour de cette date. Les romantiques français se sont battus, le jour d'*Hernani*, non pour libérer les hommes et les animaux d'une seule de leurs servitudes ou de leurs fatalités, mais pour leur imposer les reliures à la cathédrale, les sièges gothiques, les cannes à pommeau d'ivoire sculpté en femme nue. Ils ont dissocié l'art du métier et de la conviction. C'est à partir d'*Hernani* que les basiliques ont été réparées et reconstruites par des architectes francs-maçons, les pendules faites par des porcelainiers qui connaissaient le feu mais qui ignoraient le temps, et non par des horlogers, la politique par des avocats, et la cuisine par des juges.

Une autre raison de douter de la force de cette révolution, c'est qu'elle a été faite sur commande. Tout le monde l'attendait. Alors que les coups portés à une civilisation sont hypocrites, souterrains, et ne se révèlent qu'avec leur effet, le coup d'*Hernani* était aussi loyal et prévu que le coup de *Chantecler*. Depuis plus d'un an, la pièce était attendue « comme devant accomplir la réforme dramatique, renverser le trône de Racine, dissoudre l'école de Voltaire, donner des Shakespeare et des Schiller à la France, ramener sur notre scène le vocabulaire et le tableau des passions humaines ». Lu et prôné par avance dans les salons de la jeune France, annoncé pour type des créations nouvelles, *Hernani* devait être la démonstration de ce qu'on peut tenter sur l'enthousiasme de la jeunesse et sur la patience d'une génération vieillie dans l'admiration de la littérature fardée de l'Empire. Comme le disait un chroniqueur, « l'orage qui planait depuis si longtemps au-dessus de notre société antiromantique a éclaté enfin en tonnerre ». Le chroniqueur aurait pu ajouter qu'il avait éclaté justement avec l'aide de cette société antiromantique. C'est elle, en effet, qui, pour détourner les menaces d'un romantisme d'idées, a feint d'avoir peur du romantisme des mots, et a précipité vers lui, pour se sauver, tous ces jeunes gens désormais inoffensifs. En leur disant : « Faites-moi peur, et en plein jour », elle s'est épargné les attaques nocturnes et les sapes. Et la nécessité d'une révolution littéraire en France était si grande, il paraissait tellement fatal que surgît à ce moment une génération indomptable et voyante, que tous les bourgeois français, dans leur esprit logique, ont pris cet orage pour le silence poétique le plus profond, les rugissements hugolâtres pour des voix intérieures, et se sont hâtés de proclamer romantiques ceux-là même qui leur cachaient les vrais romantiques et les débarrassaient d'eux.

Il suffirait évidemment de s'entendre sur le mot romantique. Appelons romantique Hugo et la discussion est close. Le malheur est que le mot romantique n'appartient pas qu'à nous. Pas plus que le mot romance, ou le mot romanesque, ou le mot romanticisme. Il est un de ces mots, au contraire, qui n'accepte de fondre dans aucun de nos langages européens ; il est anglais, et russe, et allemand. Chaque civilisation a eu son époque romantique, et l'appelle ainsi, et c'est, en général, une de ses heures les plus intimes. C'est l'époque à laquelle chaque peuple, dans ses journées de tranquillité et d'égoïsme, ne peut penser qu'avec quelque remords, mais dont il tire sa purification. Le moment romantique d'un pays est celui, en effet, où tout a cédé devant l'exigence et la nostalgie du cœur. C'est celui où, plus forte que la vie mondaine, plus forte que la vie industrielle, voilant la gloire militaire, une interrogation saisit toute pensée, et une angoisse tout corps. Le moment où, au lieu de s'en remettre à des philosophes du soin de bâtir la métaphysique, à des exégètes du soin d'analyser la religion, et à des juges de la mission de sanctionner les actes, chaque âme individuelle a prétendu se poser face à face à ces obligations et entrepris de les résoudre et de les surmonter à elle seule. Ou d'en mourir. Ou d'en vivre sans vie. Le romantisme est le panthéisme des époques civilisées. Chaque divinité est remise par lui à chaque citoyen, qui en devient à la fois le prêtre et le démiurge. C'est une époque de maladie et de droiture morales, d'insatisfaction et de clairvoyance, la seule époque où le rôle de l'homme de lettres l'élève jusqu'à être la conscience du siècle. Elle ne peut coïncider qu'avec une civilisation mal agencée, un arrangement du bonheur mal trouvé, une mésentente entre les peuples, entre les classes, entre les individus. Un romantique est celui qui n'a plus aucune complicité avec chaque homme et chaque institution humaine, et qui en cherche une avec tout le reste de la nature. L'époque romantique allemande a été celle où, émergeant plus ou moins, selon leur taille, du brouillard répandu sur l'Europe centrale, chacun enfermé dans sa ville, Tieck cherchait la lumière, Novalis la réalité, Kleist la forme, Hoffmann le squelette, fermant durement les yeux au siècle pour atteindre ces visages ou ces os qu'on ne reconnaît qu'au toucher et à la caresse. L'époque romantique italienne a été celle où, dans l'esclavage et l'impuissance, tous les grands cris, poussés deux siècles d'avance par les poètes maudits d'époques fortunées, ont soudain sonné juste et vrai. Si la génération romantique française était celle où de joyeux jeunes gens habillés en rouge piqueur se sont groupés en sonnant des trompettes, ce serait à désespérer de la France. La génération romantique française devait être, au contraire, celle de la Révolution, de l'Empire, et c'est d'ailleurs ce que nous enseigne la moindre étude loyale du mouvement littéraire à la fin du XVIIIe siècle. Les romantiques français sont bien ceux qui sont nés dans le trouble et l'indécision, et non ceux qui sont nés dans l'ordre et la victoire. Ce sont les fils des guillotinés. Ce ne sont pas les fils de généraux. Il est faux de prétendre que Révolution et Empire aient été des périodes stériles. Loin de donner cette niaiserie ou ce formalisme que les critiques du XIXe siècle leur accordent pour tout privilège, ils sont au contraire un des stades où la pensée française fut le plus courageuse et indiscrète, et où la part de la littérature entre le moins dans la mission des écrivains. Restif, Chateaubriand, Chénier, Mme de Staël, Bernardin de Saint-Pierre, Senancour, Benjamin Constant, Joubert ; pour tous ceux-là, l'écriture n'est jamais un métier ou un divertissement, mais un soulagement, ou une plainte, ou une fonction. Comparez la scène des portraits d'*Hernani* à la description que Chateaubriand donne de ses aïeux. Comparez les lettres d'amour de Benjamin Constant aux lettres de Victor Hugo. D'un côté vous avez l'arbre de race, le cantique de vie, de l'autre des cadres et des mots. Par leur solitude, leur agitation, leur curiosité, il n'est pas un de ceux que je viens de nommer qui ne soit vraiment un romantique ; aucun d'eux que ne lie à son époque cette liaison douloureuse, j'allais dire ce collage, dont Adolphe n'est que la personnification mondaine. Quelle explosion merveilleuse, je veux dire de tourments, d'offres et de plaintes rythmées ou non rythmées, ne se préparait pas, grâce à eux, dans ce pays où de jeunes poètes tels que Vigny, Lamartine et Musset, n'attendaient qu'un chef de file! La liberté du cœur, la liberté de l'inspiration espéraient ce message des droits de l'univers qui allait abolir les droits de l'homme. Toute cette lutte de Diderot et de Rousseau contre la sécheresse et le psittacisme d'un peuple allait porter ses fruits. Sur le langage français qui, au XVIIIe siècle, pour devenir un langage de combat, un idiome de propagande, s'était aiguisé et amaigri, une époque de transes, de vérités, de doute allait jeter des beautés et des formes. De tous ces héros et ces héroïnes romantiques, Atala, René, Obermann, Corinne et Adolphe, allait se constituer, pour remplacer la mythologie classique et ses présidents périmés, un nouveau Walhalla. Mais, avant que ces personnages, hésitants d'ailleurs par nature, eussent pu nettement marquer leur place, un groupe bruyant et sûr de soi faisait irruption, et sans chercher un titre particulier pour désigner la spécialité de sa gloire et de son talent, prenait le nom justement de ceux dont il venait d'anéantir l'effort.

Car tel est, en effet, le rôle qui échut à ceux que nos manuels appellent les purs romantiques français ; ils obstruèrent pour des années tout ce que le XVIIIe siècle finissant, tout ce que le XIXe siècle naissant avaient commencé à libérer ; au lieu de poursuivre cette bataille de la conscience, pour laquelle tant d'êtres, à cette époque, semblaient doués et s'enrôlaient, ils engagèrent un faux combat que les classes égoïstes et pourvues, par des effarouchements feints et de fausses protestations, s'empressèrent d'encourager. Ce sont ces classes qui comprirent tout de suite l'importance vitale d'*Hernani* pour leur sauvegarde, dans une époque de transformations sociales, dans l'année même où avaient lieu le premier accident de chemin de fer et la première manifestation des saint-simoniens. *Hernani* les comblait. *Hernani* faisait rentrer notre littérature, échappée du cercle royal, dans le cercle bourgeois. Ce n'était pas une querelle de justice et d'injustice, quelque chose de semblable à l'affaire de Calas ou à l'affaire Dreyfus. Ce n'était même pas, comme la querelle du *Cid*, l'histoire superbe d'un dièse haussé dans le ton français. C'était un événement mondain. Les forces dites romantiques qui s'y manifestèrent ce jour-là n'y livrèrent pas une de ces luttes secrètes et virulentes par lesquelles meurt une habitude de pensée où surgit un droit du cœur. Ils se battirent simplement contre des confrères plus âgés Ce fut le poil noir contre le poil blanc, mais la formation des adversaires qui se rencontrèrent ce jour-là était la même. Une génération plus vigoureuse de jeunes classiques nourris à l'école de Delille et de Ducis, y livrait bataille à des classiques élevés par Dorat et par Gentil Bernard. Toute la querelle portait sur le langage, sur le vocabulaire, sur la versification, qui, en effet, différaient, mais de si peu. Pour le fond, pas de querelle. Ses critiques d'alors ne font pas à *Hernani* plus de critiques que ses admirateurs d'aujourd'hui, et ce sont les mêmes critiques. Ils trouvent l'histoire du cor d'un désarmant enfantillage, la description des portraits de famille fastidieuse, la prosodie facile, les vers lâchés, mais, malgré tout, ils n'auraient pas été jusqu'à supprimer deux actes sur cinq, comme les hugolâtres l'ont fait hier, car chacune des scènes les rassurait. Ils considèrent l'aventure non comme une réforme, ou comme une révolte, mais comme une de ces incongruités de talent dont vivent une belle saison théâtrale et une belle époque bourgeoise. Ils n'estiment pas que les mœurs en courent des risques, que d'illégitimes innervations soient données à l'âme par l'emploi des mots « lion généreux ». Trop heureux de n'avoir pas à protester pour leur bourse et pour leurs habitudes, ils protestent contre l'abus des adjectifs, contre l'emploi du jeu de mots dans la tragédie, et contre des audaces de versification que le moindre ronsardisant se permettait au XVIe siècle. Bref, c'est le pendant, à deux siècles d'intervalle, de la querelle des Précieuses. Je ne dirai pas que ce fut leur revanche, car le vocabulaire précieux aboutissait à une déformation mais à un enrichissement de l'expression sensible. Mais ce fut là aussi une querelle de ruelle et une querelle de vocabulaire. « Avec *Hernani*, nous n'avons pas de drames, pas de poésie nouvelle », disait le *Figaro* d'alors, « nous n'avons qu'un langage poétique et dramatique nouveau, et qu'une nouvelle forme de l'arrogance littéraire ». Et quel langage! pour examiner la première de ces deux conquêtes. On a voulu défendre son emphase en y voyant l'aboutissant du langage de la Révolution. Rien de plus faux. Le langage pompeux et pathétique de la Révolution correspondait à une âme pompeuse et gonflée. Il n'était pas seulement le langage artificiellement choisi pour le discours et la poésie, il était le langage courant. Robespierre l'employait non seulement pour parler à Danton, mais pour parler à son concierge. Le juge l'employait pour ses condamnations à un jour de prison comme pour ses condamnations à mort. Le législateur pour sa loi sur les portes et fenêtres. En 1830, au contraire, la littérature, le vocabulaire littéraire, devient, grâce à Hugo, une protection contre toute menace de réflexion littéraire. Le sublime devient le paratonnerre qui protège de la vérité et du simple. Pour la première fois dans l'histoire de notre race, le raisonnement puisé à sa base latine et grecque, à ses sources gauloises pratiques et scrupuleuses, à ses inductions magiques, laisse la place au raisonnement par gonflement, par analogie et par accumulation. Dans la tragédie de Racine, dans le développement de Chateaubriand, il n'y a pas de différence foncière entre le lien qui relie les idées et celui qui les lie dans le droit civil français. Œuvres d'imagination, œuvres de juristes et de philosophes, sont les faces différentes d'un même bon sens et d'une même logique. Mais on frémit en songeant quel droit civil, quel droit international, quel droit urbain il faudrait créer comme pendant à ce droit poétique. Si bien que ces mots qui semblent en eux-mêmes lyriques, inspirés, sincères, venant de personnages qui emploient dans la vie courante un tout autre langage, ont amené le poète français et son lecteur à cette hypocrisie inconsciente de l'écrivain et du public qui a marqué tout le XIXe siècle, gagné aussi bien les arts d'ameublement que la politique, l'architecture que l'hygiène, et dont la manifestation la plus réussie et la plus durable a été la spécialisation de l'homme de lettres. Car c'est là le bénéfice le plus clair de 1830. Victorieux de ce combat qu'il croyait livrer contre l'école de ses aînés et qu'il ne livrait qu'à soi-même, l'écrivain français s'est promu écrivain public. La corporation de l'homme de lettres est née, elle demande sa place dans les autres corporations, avec ses droits, ses chartes. Au nom de la liberté suprême, elle revendique une patente, un rôle officiel dans l'État, la popularité, les décorations, la liberté avec titres, en un mot l'esclavage. Elle se charge d'exprimer, sans d'ailleurs les éprouver, ce qu'elle appelle les grands sentiments, ce qu'elle rend les petits sentiments, et elle entend prendre à leur sujet des brevets d'invention. Le poète est un écho sonore, l'écho sonore des conseillers d'État, des Chambres de Commerce. Mais un écho patenté... Cela sans maigreur, sans chlorose, sans famine. Leur santé n'en souffre aucunement. Au milieu de leurs chants de désespoir, les romantiques de 1830 ont trouvé le moyen de dépasser presque tous leur quatre-vingtième année. Malgré leurs désolations et leurs renoncements devant la nature, ils ont créé la Société des Gens de Lettres et régularisé la perception des droits d'auteur. Le succès ne se pose plus sur eux comme le triomphe d'une idée, mais comme le triomphe d'un livre. Le langage, au lieu de rester l'expression d'un sentiment, en devient la publicité ; le talent n'est plus qu'une spécialité de fournisseurs. Les livres qui eurent du succès, de 1830 à 1880, furent tous, non des surprises, mais des commandes, et il se trouva, quand l'orage romantique eut passé, qu'au lieu d'avoir saccagé la zone paresseuse de l'esprit, il l'avait réconfortée et rajeunie. La littérature, qui, depuis cinquante ans, était une arme ou un poison, était devenue à nouveau en France, et en France seulement, un divertissement. C'est de là que date chez nous cette création de préfets intellectuels, choisis et encouragés par l'État, dont l'institution s'accordait si bien avec les aises d'une classe comblée et satisfaite. Le langage de la bourgeoisie devant les grands événements du cœur et de l'esprit était trouvé : c'était celui qui exigeait l'écart maximum entre le mot et le sentiment. La fonction du théâtre et du roman était trouvée : ils étaient les événements les plus inutiles de la vie courante. Le seul écrivain qui ne fut pas proclamé auteur dramatique était Musset. Alors que la publication de *La Nouvelle Héloïse* ou du *Barbier de Séville* créait une étoffe des âmes, un velours, un brocart des âmes, dans l'Europe entière de nouvelles papilles pour l'amertume et la délectation, la représentation d'*Angelo*, l'édition de *Notre-Dame de Paris* ne faisaient que flatter de vieilles aptitudes à la tranquillité et à la surdité, et créer de nouveaux sujets de pendule. C'est au moment suprême de la vie inutile que la main de la femme se tournait vers un livre. Une première au théâtre était l'oisiveté poussée à son comble. Malgré le travail souterrain des écrivains, solitaires, influencés d'ailleurs par ce chantage, la littérature officielle tint ainsi le milieu entre la pâtisserie et la danse. Dans son uniforme patenté, auquel pas un bouton de guêtre ne manquait, elle paradait dans des opérations de faste qui n'intéressaient en rien le sort du pays, comme l'armée d'ailleurs le faisait de son côté, occupée à Sébastopol ou à Puebla. Mais le jour où s'ouvrit, comme cela devait arriver pour l'armée, le vrai combat du pays, et que la bourgeoisie française, qui croyait la question sociale résolue par *Les Misérables*, la question sexuelle par *Rolla*, la question des conférences navales par *La Mer*, se trouva en face de toutes les questions auxquelles les autres peuples essayaient de répondre avec un vrai langage, ce fut, sur beaucoup de points du domaine social, une sorte de nouveau Sedan.

Et nous voici à 1930, amenés, de façon inéluctable, à nous demander quel doit être, en 1930, le rôle de l'écrivain ; et je crois bien que je vais être obligé, malgré tous les efforts que je fais contre ce fléau depuis ma naissance, et surtout depuis une demi-heure, d'aborder les idées générales.

Ce qui semble évident, d'abord, c'est que l'écrivain, en effet, dans le monde actuel, a un rôle, sinon une mission. Il serait puéril d'en douter dans une année où la statistique nous montre combien la différence proportionnelle diminue chaque année entre le poids de la pâte à papier et de la pâte à pain consommées par le monde. Nous sommes dans un des rares moments où l'humanité, reconstruite par des professeurs, se confie à la littérature comme à un de ses recours et à sa seule amie. La plupart des autres époques, même les plus magnifiques, auraient pu se passer d'elle. Sous Léon X, sous Louis XIV, elle était le plus bel ornement d'une époque, mais elle n'en était que l'ornement. Les plus grands écrivains n'ont souvent été que des paraphes de l'humanité. Ni le *Cid*, ni *Andromaque* n'ont créé de nouvelles mœurs, aidé un esprit ambitieux, aidé une âme. Ni surtout *Hernani*. Peut-être les œuvres françaises sont-elles d'autant plus pures qu'elles correspondent à un manque plus absolu d'utilité pratique, mais il ne s'agit plus d'œuvres aujourd'hui. Le nom de l'écrivain couvre, de nos jours, le nom particulier de chacune de ses œuvres. Les générations précédentes communiaient avec les œuvres ; *Manon Lescaut*, *Colomba*, *Le Monde où l'on s'ennuie*, *Dominique* lui-même, voilaient leurs auteurs aux yeux du public. L'œuvre connue comme un chef-d'œuvre vivait en soi, et ses personnages, dans leur vie plus ou moins fictive mais éclairée, suffisaient à illuminer les parts du cerveau qui n'étaient pas consacrées à la toilette ou à la banque. Il en était comme en médecine, où le nom du remède prenait le nom du médecin. L'âge des hommes et des œuvres de talent est maintenant passé. L'écrivain n'est plus que le possesseur d'un radium qu'il doit manier à ses risques et périls. Bergson, Proust, Gide, Péguy, Valéry, Claudel, les noms des grands écrivains, sortent de leurs œuvres, au lieu de s'y perdre, et vont de pair avec ceux des chimistes ou ceux des physiciens. Avec ceux des alchimistes. Tout écrivain français qui a voyagé, ces dernières années, en Europe, a eu ainsi l'impression d'être reçu non comme l'auteur d'un roman à clef ou d'un poème en trois chants, mais comme un guérisseur. Aux mêmes places, dans les mêmes salles où, avant la guerre, devant un public de charmantes oisives et de collégiens en uniforme, de vieux messieurs venaient réciter la *Chèvre de monsieur Séguin*, en accentuant les bêlements selon l'humeur de l'auditoire, le conférencier trouve tournées vers lui les faces inquiètes de consultants, qui exigent d'être excités, renseignés ou calmés, et qui le promènent ensuite dans tous les districts de la ville, épiant son visage aux points sacrés, comme celui d'un sourcier. « Envoyez-nous uniquement des spécialistes, demandent les groupes de l'étranger aux organismes chargés de leur procurer des conférenciers. Envoyez-nous des prospecteurs de mines, des administrateurs, des directeurs de tanneries, des écrivains. » Que peut-on bien demander de spécial à ces derniers, alors que leur universalité seule, jusque-là, leur avait valu des faveurs ?

Des conseils politiques ? Ce ne sont pas des conseillers politiques. Certaines nations ont pu confondre le génie de l'homme d'État avec le talent du professeur ou même du pianiste. Aucune ne l'a confondu avec le talent de l'écrivain. Jamais les peuples, quoi qu'il paraisse, ne s'en sont remis davantage à leurs dirigeants politiques du soin de les conduire. Allemands, Américains, Français même, veulent que les hommes politiques leur épargnent la politique, ils leur donnent pleine liberté d'être les régisseurs d'une victoire ou les liquidateurs d'une défaite dont le poids est trop fort pour qu'ils le prennent à leur compte. Cet entassement d'œuvres internationales, l'augmentation aussi, dans chaque pays, des ministres, prouvent non pas que le monde se passionne pour les idées politiques, mais peut-être, au contraire, qu'il admet que la politique soit faite, non plus par des apôtres toujours dangereux, mais par des fondés de pouvoir et des hommes d'affaires. On ne parlait autrefois que de la politique de Lamartine, de Chateaubriand, de Voltaire. On ne peut parler de la politique de Gide, de Ramuz ou de Stefan George. L'organisation de l'Europe et de l'univers semble bien échapper à la direction générale de la littérature, et devenir le fief de spécialistes. L'Économie politique et la Trésorerie l'ont à ce point emporté sur la politique que les ministères de partis, seuls ministères à formation littéraire, même lorsqu'ils ont la sympathie générale du pays, ne peuvent plus vivre que trois jours.

Les directions morales, alors ? J'en doute encore. Le temps est loin où la littérature créait son esthétique et sa morale. Les contraintes de la vie sont trop grandes aujourd'hui en Europe pour laisser à la jeune génération les loisirs nécessaires à l'irrésolution et au libre choix. Le grand rôle qu'ont pris les femmes, êtres classiques dans l'élaboration de la vie, a supprimé, entre beaucoup de gestes et de fonctions humaines, cet intermédiaire littéraire que les hommes aimaient y apporter. Grâce aux femmes par exemple, la morale est enfin rattachée directement à la santé, au sport, l'art de la décoration à la commodité de la vie, sans l'entremise d'un Huysmans ou d'un Montesquieu ; la camaraderie à l'amitié, et le mariage à l'amour. Le travail, les vacances ont perdu cette forme littéraire qu'ils ont gardée si longtemps pour les classes cultivées. L'habitude de prendre chaque saison par sa spécialité même, de face, l'hiver par la neige, l'été par la chaleur, ne laisse plus subsister, entre la nature et le cœur humain, la moindre place à discussion et à lamentations. Les formes de la vie, celles que cherchaient vainement les romantiques, sont admirablement créées, et, comme les abeilles et les fourmis, sous la terreur du monde environnant, les malheurs et les catastrophes qui ont accablé l'Europe depuis vingt ans, loin de remplir les êtres qui l'habitent d'obsessions et de fonctions vagues, leur ont créé un emploi du temps étonnamment réglé dans ses activités et dans ses distractions. Ramené à la modestie par la grandeur d'événements qu'il n'a jamais su ni créer, ni prévoir, et auxquels il ne peut rien, ayant abdiqué les soins généraux de l'humanité entre les mains d'organisations responsables, l'homme d'aujourd'hui regarde sa qualité d'homme comme une spécialité, perfectionnée par la science et le sport, dont il entend exploiter jusqu'au bout les avantages et les destins. Ce que cette guerre a développé en nous, c'est beaucoup plus l'instinct humain que l'humanité. J'ai l'impression que son seul bénéfice sera de nous avoir fait parvenir à un de ces stades où la reine des abeilles est automatiquement nourrie, où la fourmi guerrière acquiert un de ses gestes éternels : je veux dire au fait de nous résigner, quand nous y touchons, au bonheur, et toute la littérature mondiale ne nous a pas influencés sur ce point. A l'ombre de ces gigantesques entreprises de paix et de félicité aux directeurs desquelles il abandonne la suite de la guerre, retraité des affaires générales, chacun de nous cherche à édifier, au contraire, ce que l'on édifie avec des enfants, un chien et un chat, c'est-à-dire une cellule humaine aussi active et aussi libre que possible.

D'où ma conclusion. Ce que les lecteurs demandent en 1930 aux écrivains, c'est peut-être justement le contraire de ce qu'ils leur demandaient en 1830. Ils ne leur demandent plus d'œuvres, ni d'entretenir à côté d'eux ce bourdonnement littéraire qui est l'écho des époques heureuses et ostentatoires ; ils leur demandent deux choses : une sensibilité et un vocabulaire. Ils ne leur demandent surtout pas de chef-d'œuvre. Les chefs-d'œuvre sont les statues de la littérature et en encombrent les voies, surtout quand leurs auteurs en sont présents. Ils n'exigent plus de l'écrivain qu'il réussisse, suivant des recettes, des romans ou des pièces. Ils exigent de lui une nourriture qui leur est indispensable, mais qui est aussi peu précise que le pain ou la viande. Vous n'exigez pas votre kilogramme de veau en forme de petit veau, votre jambon en forme de petit porc. C'est pourtant ce que faisaient jusqu'ici la plupart de nos romanciers qui croyaient indispensable, pour nous présenter l'homme, de nous servir, dans une intrigue composée, de petits personnages en forme d'hommes complets mais minuscules. Il ne s'agit plus d'exciter par l'intrigue et l'imagination une société repue ; mais de recréer, dans toutes ces alvéoles taries que sont nos cœurs, la sève d'où s'élaborera l'imagination de demain. Atteint directement par une publicité qui supprime entre lui et le livre tout intermédiaire, toute écluse, comme pour un produit naturel, le lecteur ne le juge jamais selon la vieille méthode pédante, chère encore à tant de nos critiques. Habitué à placer spontanément son aiguille sur le disque de son phonographe, à recueillir, par un simple geste de ses mains, la bouffée qui lui revient de Nauen ou de Daventry, le moins cultivé des lecteurs laisse agir sur lui directement la pensée imprimée. Le livre se répand non plus par ses distributeurs habituels, critiques, classes cultivées, bureaux de lecture, mais par cette méthode jusque-là inconnue des hommes et observée par Fabre chez les insectes, qui amenait le papillon mâle d'Avignon aux papillonnes captives de Carpentras. Un de mes amis, qui voyage dans le Massif Central pour son commerce, m'a montré une carte de la Creuse où il s'est amusé à marquer d'un signe les lecteurs de Péguy et de Claudel. Ce n'est plus cette innervation méthodique des classes dirigeantes qui instillait Maupassant ou Flaubert par un réseau assez semblable à celui de la mode. C'est une espèce de bombardement, où seule l'âme sensible est atteinte, sans distinction de caste, et même de culture. L'école des instituteurs y est plus touchée que le corps des professeurs, le collège de filles que le lycée de garçons, le commerce et la médecine que les classes libérales, preuve qu'il ne s'agit plus là d'une nourriture conventionnelle et rituelle, mais d'un aliment nécessaire, même au Massif Central. La forme du livre, pièce, nouvelle, essai, importe aussi peu qu'importait autrefois la forme du pamphlet de Voltaire, vers libres, dialogue ou conte. Son ferment est non plus un ferment de distraction, mais un virus de propagande. Et cette propagande, quoique inverse justement de celle qu'exerçaient les écrits de Voltaire, peut avoir pour l'Europe future une importance aussi réelle. Lorsqu'un peuple demande à ses écrivains de ne plus se spécialiser, mais d'aborder chaque genre, lorsqu'il ne les distingue même plus en poètes et en prosateurs, en essayistes et en dramaturges, c'est qu'il a affaire non plus avec les genres, mais avec les écrivains même et la vertu de l'écriture.

Ce que le monde, en effet, cherche en ce moment, c'est beaucoup moins son équilibre que son langage. Le développement de la lecture, le développement de tout ce qui forme la sensibilité : aventures, deuils, richesses facilement acquises et perdues, facilité des voyages et aussi par cela même de la solitude, ont rendu quelque peu caduc le langage de nos aînés. Nous en sommes réduits souvent, comme pour les maisons de commerce ou les groupes sportifs dont le titre a plusieurs mots, à ne nommer nos sentiments que par leurs majuscules. Le secret de l'avenir, c'est le secret du style. L'Europe et le monde seront ce que sera la langue de demain. De même qu'à l'intérieur de notre pays, tout ira bien, même si les idées sont différentes, à condition que nous ayons tous la même façon humaine et sensible de les exprimer, de même tous ces édifices internationaux, sociaux ou moraux dont nous voyons la carcasse monter en quelques heures comme du ciment armé, ne vaudront que si les adjectifs, les prétérits, les anacoluthes et les métaphores sont ceux, non d'un dialecte artificiel et égoïste, mais d'un langage sensible et humain. Libre au vocabulaire de 1830 d'être excessif et vide. Si tous les gens de 1830 avaient été muets, la vie européenne et familiale aurait pu très bien se poursuivre sans changement, et il n'y a pas de différence absolument appréciable entre le silence et la parole de cette époque où ne sont perceptibles ni Stendhal ni Baudelaire. Mais, nous, hommes de 1930, nous ne sortirons de ce gouffre et n'émergerons de cette ombre et ne nous sauverons de cet inconnu, que si nous avons, pour nous aborder dans la rue, dans la maison, dans la passion, dans l'action, la clef de toutes les époques barricadées et obtuses et angoissées et enceintes : un langage...

Paris, 1930.

IV

Théâtre

DISCOURS SUR LE THÉATRE

Prononcé au banquet de l'Association parisienne des anciens élèves du lycée de Châteauroux, le jeudi 19 novembre 1931.

Chers camarades,

L'émotion ne coupe que la voix des orateurs. Le pharynx de l'écrivain, étant un instrument de valeur secondaire, demeure dégagé dans les moments où se contracte celui de ses confrères du barreau ou de la politique. Si donc c'est de ma voix la plus claire que je réponds à notre président, ne croyez pas que j'en apprécie moins ses paroles et votre accueil. Vous m'avez confié, par son aimable entremise, la mission de présider l'heure annuelle qui vient poser sur les visages de plusieurs générations le même masque, non de jeunesse, hélas! mais d'enfance, de présider les amis qui se retrouvent après trente ans de séparation, les compatriotes qui ne s'étaient jamais connus que de nom, et qui soudain voisinent, une symphonie de rires et d'éclats de voix qui n'avait pas retenti depuis notre réfectoire, et qui provoque rue de Poitiers les mêmes échos qu'Avenue de Déols : Duchâteau, Malinet, Bailly, Delacou, Naudin, Berthon... Croyez que je vous en suis profondément reconnaissant.

Je me serais borné à vous exprimer cette satisfaction

et cette gratitude, si certains de nos amis ne m'avaient, cette semaine, dans des rencontres et par des lettres, demandé de faire cette réponse moins brève. Ils ont suivi en camarades l'effort que je poursuis au théâtre depuis trois ans. Ils ont été étonnés de voir qu'il a provoqué dernièrement chez des critiques qui, généralement, sont d'accord, les commentaires les plus opposés. Ils désireraient que je leur donne ici, si j'en vois une, l'explication de pareille divergence. Je me rends volontiers à ce désir. Les hommes politiques ne choisissent-ils pas l'occasion de telles réunions amicales pour exposer leurs projets ou justifier leurs actes ? Il leur semble redonner à leurs ambitions une couleur et une fraîcheur qu'elles ont parfois passablement perdues en les replongeant dans ce bain de jeunesse. Pourquoi les écrivains ne les imiteraient-ils pas ? Quelles personnes au monde peuvent mieux comprendre et soutenir un homme de lettres que celles qui ont ouvert pour la première fois les classiques dans les mêmes éditions, récité leurs leçons dans la même acoustique, et commis sur les mêmes mots français ou latins leurs premiers barbarismes et leurs premiers solécismes ?

D'ailleurs, je ne suis pas si sûr que cela de ne pas prononcer en ce moment un discours politique, ou tout au moins social. La question du théâtre et des spectacles, qui a joué un rôle capital et parfois décisif dans l'histoire des peuples, n'a rien perdu de son importance à une époque où le citoyen voit se multiplier, du fait de la journée de huit ou de sept heures, son temps de loisir et de distraction. Le spectacle est la seule forme d'éducation morale ou artistique d'une nation. Il est le seul cours du soir valable pour adultes et vieillards, le seul moyen par lequel le public le plus humble et le moins lettré peut être mis en contact personnel avec les plus hauts conflits, et se créer une religion laïque, une liturgie et ses saints, des sentiments et des passions. Il y a des peuples qui rêvent, mais pour ceux qui ne rêvent pas, il reste le théâtre. La lucidité du peuple français n'implique pas du tout son renoncement aux grandes présences spirituelles. Le culte des morts, ce culte des héros qui le domine prouve justement qu'il aime voir de grandes figures, des figures proches et inapprochables jouer dans la noblesse et l'indéfini sa vie humble et précise. Son culte de l'égalité aussi est flatté par ce modèle d'égalité devant l'émotion qu'est la salle de théâtre au lever du rideau, égalité qui n'est surpassée que par celle du champ d'épis avant la moisson. S'il n'est admis qu'une fois par an, au cœur de notre fête officielle, dans la matinée gratuite du 14 juillet, comme il convient à notre démocratie, à vivre quelques heures à l'Odéon et à la Comédie-Française, avec les reines et les rois, avec les passions reines et les mouvements rois, croyez bien qu'il n'en est pas responsable. Partout où s'ouvre pour lui un recours contre la bassesse des spectacles, il s'y précipite. Dans les quelques lieux sacrés que n'a pas gâtés encore la lèpre du scurrile et du facile, des masses de spectateurs, sortis de toutes les classes de la population, s'entassent, et écoutent respectueusement, — peu importe qu'ils en comprennent le détail puisque le tragique agit sur eux en cure d'or et de soleil —, la plus hermétique des œuvres d'Eschyle ou de Sophocle. Sous le masque des vêtements, la tenture des décors, la broussaille des mots, cet assemblage de charmantes épicuriennes et de joyeux détenteurs de permis de chasse qui constitue généralement en France méridionale un auditoire, suit avec angoisse et passion le serpentement de l'hydre invisible, surgie de l'antiquité la plus éclatante, car c'est dans les époques les plus claires et les plus pures que les monstres de l'âme ont leurs marais. Orange, Saintes! Est-ce donc que ces villes seules donnent tout à coup l'émotion et l'intelligence à des spectateurs qui redeviennent aussitôt sous d'autres cieux les fervents du café-concert et du sketch en film parlé? Est-ce donc que le ciel ouvert redonne sa noblesse originelle à un auditoire; et que sous des plafonds, le Français retombe à la vulgarité? Non. C'est qu'autour de ces enceintes privilégiées le public est entretenu dans le respect du théâtre, qu'il est poussé par des guides et jusque par des municipalités à cultiver en soi une notion instinctive et exacte du théâtre... A Paris, il la perd, il l'a perdue.

Il l'a perdue parce que, au lieu de le respecter et de s'élever à lui, un certain nombre d'hommes de théâtre ont prétendu ne faire appel qu'à sa facilité et sa bassesse. L'incompréhension, sinon le mépris du public, a été l'axiome de certain théâtre parisien. Il s'agit de plaire, par les moyens les plus communs et les plus vils. Comme la langue française, parlée et écrite correctement, résiste d'elle-même à ce chantage et n'obéit qu'à ceux qu'elle estime, c'est contre elle qu'a été menée l'offensive, et l'on a trouvé, pour les pièces où elle n'était pas insultée et avachie, un qualificatif qui équivaut, paraît-il, aux pires injures, celui de pièces littéraires. Si, dans votre œuvre, vos personnages évitent cet aveulissement de l'expression dont quelques auteurs arrivent à marquer même leurs onomatopées ou leurs monosyllabes, si par l'étude des caractères, le détail des explications, vous vous écartez tant soit peu de cette improvisation pour tréteaux qui représente le spectacle idéal pour plus d'un directeur, vous vous entendez dire aussitôt, plus ou moins crûment, car une injure pareille ne s'exprime qu'avec des précautions, que vous êtes non un homme de théâtre, mais un littérateur. Vous apprenez, pour votre gouverne, alors que tous les domaines de l'activité sont ouverts en France à la littérature, qu'il en est juste deux dont l'entrée lui est formellement interdite, le théâtre et le cinéma. Que des directeurs aient cette conviction, cela s'explique. Ils administrent une entreprise, ils ont à la mener au succès et non au déficit ; la parcimonie de l'État leur interdit d'être des éducateurs ou des philanthropes, leur art poétique peut s'arrêter à leur balance. Il est exact aussi que le théâtre de tréteaux devenu notre théâtre des boulevards peut produire des modèles, périssables, comme tout ce qui est geste et non langage, modèles cependant. Mais que certains critiques, hommes de lettres eux-mêmes, éprouvent un accès d'impatience devant une pièce écrite et non parlée, et, avant d'entamer contre elle un procès qui peut d'ailleurs être justifié, ne prennent pas soin d'indiquer à leur lecteur dans quelle enceinte relevée se livre ce tournoi, c'est ce qui est moins admissible ; et lorsque quelques-uns d'entre eux, vaguement conscients de leur faute, vous disent pour s'excuser : Quelle pièce ennuyeuse, mais que nous aurons de plaisir à la lire! ils sont eux-mêmes leur juge, car cette phrase donne aux applaudissements qu'ils prodiguèrent la veille à une autre pièce son véritable sens : — Quelle pièce réussie! Que nous aurons de plaisir à ne pas la lire!

Vous pensez bien que je n'ai pas l'intention d'entreprendre aujourd'hui la critique de ces quelques critiques dramatiques. Leur probité est entière, leur sincérité est malheureusement insoupçonnable. En ce qui concerne leur amour du théâtre, il n'y a pas lieu non plus de les distinguer de ces illustres aînés dont Antoine est le plus illustre, et de ces nombreux cadets qui favorisent de tous leurs efforts l'éclosion d'un théâtre littéraire. Peu importent aussi la petite mauvaise foi et l'inconséquence de leurs remarques, le goût plus ou moins sûr de leurs articles, qui devraient pourtant, eux, se rattacher à la littérature. Peu importe que le critique théâtral d'un de nos plus importants journaux du matin, rendant compte d'une pièce dont il blâme le style douteux, appelle une juive dévouée à une autre juive une « Estheromane », et un aide de camp efféminé « le chef des tentes » d'Holopherne. Peu importe que la poétesse qui personnifie pour nous la délicatesse et la pudeur, dans son compte rendu d'un drame dont l'action se passe à Béthulie et dont la langue lui paraît peu pure, dise qu'elle « s'y est embéthulée » et dénomme les vierges pures « les jeunes filles qui veulent faire casser leur cruche ». Le calembour est peut-être le mode d'expression rêvé pour le puriste ombrageux que choque le gongorisme. Le mal n'est pas là. Le mal vient de ce que cette variété de critiques représente une variété périmée, la variété mondaine, et qu'il n'y a plus de littérature mondaine, pas plus qu'il ne reste de monde. Le mal, je veux dire le bien, est que théâtre, roman, critique même, au lieu d'être les accessoires d'une vie superficielle et tranquillement bourgeoise, sont redevenus, dans notre époque comme dans toutes les époques amples et angoissées des instruments de première nécessité. Cet écartelage du corps de la littérature en plusieurs tronçons, opéré dans un siècle heureux pour le bénéfice des salons et des galas, et qui avait amené les romanciers, les journalistes, les auteurs dramatiques, les philosophes à former autant de confréries hostiles et indépendantes, il n'a plus sa raison maintenant. Le littérateur se sent chez lui au théâtre, au journal, dans l'office de publicité : il les envahit. Le cœur de la littérature est retrouvé, cet aimant qui va ramener en un seul faisceau tant de membres épars, et ce cœur c'est l'écrivain, c'est l'écriture. Tout grand bouleversement des esprits et des mœurs diminue l'importance des genres littéraires en soi, mais il augmente au centuple le rôle de l'écrivain et lui redonne son universalité. Notre époque ne demande plus à l'homme de lettres des œuvres ; — la rue et la cour sont pleines de ce mobilier désaffecté —, elle lui réclame surtout un langage. Ce qu'elle attend, ce n'est plus que l'écrivain, comme le bouffon au roi heureux, lui dise ses vérités dans des romans ou des pièces anodines et réussies, critiques aussi méprisables que des flatteries. C'est qu'il lui révèle sa vérité à lui, qu'il lui confie, pour lui permettre d'organiser sa pensée et sa sensibilité, ce secret dont l'écrivain est le seul dépositaire : le style. C'est ce qu'elle réclame aussi au théâtre. Les protestations de ceux qui ne veulent pas démêler entre les œuvres théâtrales celles qui ont pour but la formation du public et celles qui ne visent qu'à l'aduler ou à lui plaire ne serviront plus maintenant de rien, car ce public est contre eux et avec nous. Le public ne connaît pas, au théâtre, en entendant un texte, ce que les demi-lettrés appellent l'ennui. Son fauteuil au théâtre a l'exterritorialité d'une ambassade dans le royaume antique ou héroïque, dans le domaine de l'illogisme et de la fantaisie, et il entend en maintenir le caractère solennel. L'affection qu'il conserve pour le théâtre en vers est l'expression de cette vénération pour le style et le vocabulaire. Il aime dans les vers le travail bien fait, la conscience et le souci qu'il suppose chez le poète. Mais lorsqu'un écrivain lui révèle que la prose n'est pas lâche, pas sale, pas obscène, pas facile, il ne demande pas mieux que de le croire, et s'émeut de voir tout à coup, au lieu de cette monnaie-papier qu'est le style théâtral, l'acteur et l'actrice échanger des phrases qui lui révèlent que ce qu'un peuple possède de plus précieux, son langage, a aussi une encaisse d'or.

Telles sont, chers camarades, les réflexions que peut inspirer en ce moment le théâtre à un écrivain. Si elles ont été exprimées d'une façon peu concise, je vous demande en tout cas de ne pas en vouloir à ceux d'entre vous qui les ont provoquées. Je vous les aurais données tôt ou tard de moi-même, car malgré les avances que m'ont faites Delphes, et Orange, et Munich, c'est Châteauroux qui reste ma ville théâtrale, depuis le soir de sixième où, dans la formation par files qui nous menait à la chapelle ou au bain, nous fûmes menés aussi pour la première fois au spectacle. C'était Silvain qui jouait le vieil Horace, tout le Berry adolescent l'attendait passionnément au « qu'il mourût », et la scène avait une grandeur imprévue, car le rideau ne fonctionnait pas, et il était maintenu levé grâce à des piques, par deux pompiers châteauroussins en uniforme.

L'AUTEUR AU THÉATRE

Il n'y a pas d'auteur au théâtre. Les plus grands noms de la littérature sont des noms d'auteurs dramatiques, mais justement parce que ces noms éclatants recouvrent une époque, non un homme. Shakespeare, Molière, Racine sont les plus grands anonymes qui soient. C'est un symbole frappant qu'il ne reste d'eux aucun manuscrit. On sait seulement, par trois documents bien étrangers au théâtre, qu'ils savaient signer, les deux premiers un nom qui n'était pas le leur. L'auteur dramatique n'est pas une pensée, un style durable, c'est-à-dire une responsabilité. Il n'est qu'une voix, et pas la sienne. Il est ce qu'était tout auteur aux âges jeunes, l'organe même de la parole de son âge : un acteur. Il est le premier, par ordre chronologique naturellement, des acteurs de sa troupe. Il a même cette particularité de les être tous, et de les rester tous. Sophocle, Lope de Vega, Corneille, ont été les créateurs et demeurent les doubles de tous leurs rôles. La grandeur de leur gloire vient de ce que leurs noms subsistent d'abord en eux-mêmes, dégagés de toute œuvre, comme des noms de scène, des noms de ténors, et de ce que, de ces ténors disparus, splendide supplément, la voix subsiste. C'est là aussi le caractère de l'œuvre dramatique, et le privilège de sa beauté quand l'immortalité se pose sur elle : elle est éphémère. L'essentiel du théâtre n'est pas l'auteur, mais le théâtre. Supprimez les noms propres, rangez les pièces anglaises de la période élizabéthaine sous le vocable de Théâtre anglais, les pièces du règne de Louis XIV sous le vocable de Théâtre français, vous ne sentirez pas plus en vous l'obligation d'en identifier les auteurs que de vous demander, dans les recueils du théâtre italien, quelles pièces sont attribuées à Marivaux. Mon bien est là où je le trouve, disait Molière. Parce qu'il n'y a pas de plagiat en art dramatique, et il n'y a pas de plagiat parce qu'il n'y a pas de propriété. L'attribution est la seule paternité que puisse revendiquer le vrai auteur, le vrai père d'une pièce. A l'auteur dramatique moderne lui-même, dont les instincts de propriétaire n'ont pas besoin d'être excités, il suffit d'entrer au théâtre où l'on joue sa pièce pour comprendre, une fois que la première représentation l'a donnée à la troupe, qu'elle ne lui appartient pas, qu'elle ne lui a jamais appartenu. S'il n'y est pas jugé importun, s'il y est accueilli fraternellement chaque soir, si les acteurs le laissent circuler autour de la scène, c'est parce qu'il y joue. Parce que personne ne joue mieux que lui ce rôle de comparse effacé qui donne pourtant leur raison aux portants, leur relief aux montants, le rôle de souffleur du souffleur, de pont entre la salle et la scène, le rôle qui perce le rideau de fer, l'équivoque du public : le rôle de l'acteur qui ne joue pas. Il est à la pièce et à la représentation ce qu'est Élise à Esther, ou Pylade à Oreste, son confident. C'est aussi en vertu d'un droit d'ancienneté qui ne lui est point contesté, celui d'avoir été le premier spectateur de sa pièce. Racine a été le premier à entendre Andromaque. Cela crée toutes nos obligations envers lui. Il en est aussi le mime. Vers 1677, quand Racine se levait brusquement, ou remuait le petit doigt, ou agitait le pied, il mimait Phèdre. Mais c'est là le seul titre de l'auteur dramatique. Non pas celui qui confère aux auteurs de maximes et de romans la propriété de leur pensée et de leur style, mais celui que vous donne le privilège de l'intimité avec les personnages dramatiques. L'humain qui a les plus hautes fréquentations, voilà ce qu'est l'auteur dramatique. Il n'a d'égal sur ce point que le magicien. Ils sont les seuls tous deux à ressusciter. Mais le magicien est seul à pouvoir à nouveau anéantir. Évocateurs de figures qui peuvent procréer et prospérer et se dédoubler elles-mêmes dans leur monde demi-vivant, mais sur lesquelles ils n'ont plus aucune prise, dont ils tentent parfois, et vainement, pour croire qu'ils disposent d'elles, de modifier les paroles et les traits, Racine, et Gœthe, et Claudel savent mieux que personne la beauté du mystère dramatique : une annonciation, et, au lieu du fils attendu, tendre et de votre sang, un être de chair insaisissable, ou un spectre d'airain. Telle est l'indépendance de votre tragédie, de votre comédie, de votre drame, tandis que votre sonnet, votre rondeau, votre maxime ou votre conte vous suit partout en vous appelant père, et les mille personnages en quête d'un auteur ne l'ont atteint jamais que pour l'abandonner. Du faible rôle que joue l'auteur dans la conception dramatique, un fait ressort. Toutes les grandes époques peuvent ne pas être de grandes époques théâtrales, mais il ne peut y avoir d'époque théâtrale que dans une grande époque. Elles seules peuvent fournir, au-dessus des auteurs particuliers, cet auteur général qui diffère d'ailleurs pour chacune. Deux des époques les plus magnifiques du théâtre, le XVIe espagnol, le XVIIe français, vont nous donner l'illustration de cette vérité.

En Espagne, à la fin du XVIe et au commencement du XVIIe siècle, cet auteur est le peuple espagnol lui-même. Il est le responsable de cette floraison dramatique dont le moindre examen suffit à infirmer pour toujours les affirmations de ceux qui voient le théâtre naître de la liberté et de la prospérité. Le régime espagnol est la personnification de toutes les contraintes. Les contraintes morales, terreur religieuse, protocole, administration, népotisme, y sont poussées jusqu'au billot et au bûcher. Les contraintes physiques, la maladie, la misère, la faim, y sont déchaînées. La population est passée de vingt millions à sept. Treize millions de paysans, d'artisans, ou de gentilshommes ont payé de leur vie l'hégémonie de l'Espagne sur le monde. La campagne héritée fertile des Arabes devient un désert. Le commerce et l'industrie entrent en pleine décadence. On n'y travaille que les entrailles brutes de la terre, que l'or et le fer, et il naît plus d'hommes d'acier en Espagne, dit un contemporain, que d'enfants de chair. Mais l'Espagnol, pris d'un côté entre cette terrible vie personnelle et la vie merveilleuse de sa nation, les considère toutes deux comme un décor, et admet comme seules réalités les sentiments et leur expression. Resserré de plus en plus entre les deux monuments du régime, l'Église et le Trésor, il crée sur la même place le troisième, le monument de l'imagination, le Théâtre, qui n'est pas réservé, comme en France au XVIIe siècle, et en Allemagne au XIXe, à la noblesse et à la bourgeoisie. Il est au peuple. Chaque ville a son théâtre, chaque bourgade ses arènes ouvertes. D'innombrables troupes parcourent le pays et il est joué en tous lieux chaque soir. Le spectateur fournit à peu près tout lui-même, la légende, les règles théâtrales. Il vient à la représentation comme il viendra à la course de taureaux, non pas pour voir chaque fois une pièce nouvelle et des héros nouveaux, mais pour voir lutter et se défendre et vaincre et mourir devant lui un personnage connu, mais dans des circonstances nouvelles. Devant la Célestine, devant Don Juan, devant la haine, devant l'orgueil, devant la luxure, fauves toujours à point, il ne demande à l'auteur, prima spada, que de faire un bon combat. S'il n'aime pas que les acteurs improvisent sur leur canevas, c'est d'abord parce qu'ils obligent ainsi les femmes à venir voilées, car l'acteur est mal élevé et, quand il improvise, se laisse trop souvent dans sa fougue aller à quelque propos mal sonnant. C'est surtout que les auteurs, bien plus que les règles de la bienséance, possèdent à fond le répertoire complet des coups, d'épée ou de théâtre, autorisés dans cette tauromachie suprême. C'est qu'ils sont les professionnels de ces manies, de ces axiomes, de ces habitudes en apparence aussi artificiels que les règles de la course, mais dont le maniement est indispensable pour amener à leur expression totale les réalités profondes, l'honneur et l'amour ; c'est qu'ils peuvent en créer eux-mêmes, et c'est l'invention de ces détails et de ces formules qui fait choisir au peuple espagnol pour favoris ceux qui sont les maîtres de l'imagination et de ses mondes. Si Tirso de Molina écrit trois ou quatre cents pièces, Calderon huit cents, Lope de Vega dix-huit cents, dont plus de cent vingt en un jour, — et il a même le temps, un de ces jours-là, le matin, après ses deux premiers actes, de composer une épître en cinquante tiercets et d'arroser son parterre —, c'est d'ailleurs que leur rôle était, non pas d'en finir avec un caractère, une intrigue, mais simplement, entre la prière du matin et le binage et l'arrosage, de changer les noms des héros et des héroïnes, de dorer leurs épées, de leur donner une nouvelle ombre sous ces deux soleils, l'honneur et l'amour, de planter un nouveau méandre pour leurs allées et leurs venues dans ces deux jardins, l'honneur et l'amour, bref, d'être les premiers accessoiristes, les premiers machinistes de ces milliers d'auteurs qui viendront ce soir prendre connaissance de cette pièce déjà écrite en eux par l'honneur et par l'amour. Et si l'Église n'intervient pas contre cette dévotion unanime à une tierce existence, si elle ne frappe pas d'interdit cette vie d'imagination qui se déroule dans la crudité des propos, la licence de l'action, sous le pillage moral qu'exerce dans l'Espagne entière des comédiens recrutés parmi les éléments les plus turbulents et les plus immoraux du pays, c'est qu'elle s'est aperçue que ces milliers de pièces, outre l'auteur qui écrivait et l'auteur qui écoutait, en avaient un troisième, qui était Dieu. Elle ne l'avait pas su au début. Après une série d'édits hostiles, elle avait même prescrit qu'un théologien examinât chaque pièce pour y rechercher les atteintes au dogme. L'alternance des pièces étant quotidienne, il devait y avoir finalement au théâtre le théologien de service. Mais jamais le théologien ne put découvrir dans aucune pièce et dans aucun personnage un mot ou un geste suspect. Il ne pouvait vraiment que constater l'analogie du principal moteur dramatique, le coup de théâtre, avec le principal jeu divin, la grâce. Par ses morts subites, ses colères soudaines, ses repentirs, ses passages brusques de la fortune à l'infortune, chaque pièce n'était qu'une illustration de la doctrine la plus stricte de la grâce. L'auteur, d'autre part, était conduit, par son amour de la situation imprévue et du dénouement romanesque, à recourir au coup de théâtre suprême, qui est le miracle. L'intervention du miracle lui paraissait, et paraissait aux spectateurs, le comble de la logique. Au point final de son évolution le théâtre espagnol reprend ainsi les dons de son enfance, les dons du mystère. La scène n'est plus qu'une terre à laquelle le ciel prête son transparent. Les accessoires ne sont plus seulement ceux d'une vie romanesque, tels que les a employés notre théâtre, épée ou cor, mais ceux de la vie surnaturelle : on reconnaît un enfant disparu non à la croix de sa mère, mais à une marque de la vraie croix, non à une brûlure, mais à un stigmate. C'est en plein triomphe mondain que Calderon écrit sa *Dévotion à la Croix*, où la Croix est le principal personnage, où le public sait que la péripétie se prépare dès que la scène représente un chemin en croix, dès qu'un acteur a les bras fermés en forme de croix, dès que deux répliques, au lieu de se succéder, se croisent. Que de nombreux moines s'échappent pour rejoindre des compagnies d'acteurs ; que les plus célèbres prédicateurs de Madrid viennent chaque soir au théâtre entendre Pénafil pour apprendre le vrai langage ; que, le Mercredi des Cendres, le plus célèbre des comédiens du temps, Sébastien de Prado, celui même qui vint jouer à Paris pour le mariage de Louis XIV et de l'infante, soit touché de la grâce ; que les plus aimées des jeunes premières, Francisca Baltasara, Maria Caldaron, Maria Damiana prennent l'habit religieux, parfois en pleine scène, — comme Maria Cilacho qui, jouant un rôle de religieuse, déclare soudain au public qu'elle ne quitterait plus jamais ce voile, et par les coulisses où les acteurs s'inclinent et s'agenouillent, passe de la scène au couvent qu'elle n'abandonne jamais plus ; que Marcela, la fille adoptive de Lope de Vega, pour laquelle le poète se plaît à amasser des fortunes, qu'il élève dans le luxe et tous les raffinements, le quitte à quinze ans pour entrer chez les Carmélites ; que Lope de Vega lui-même, à l'époque de sa vogue, prenne l'habit de l'ordre de Saint-François, dise sa messe chaque matin avant de se mettre au travail dans les larmes et les tremblements, et se donne la discipline sans s'épargner ; que Tirso de Molina devienne frère de la Merci, Calderon chapelain de la congrégation de Saint-Pierre ; que Philippe enjoigne au cardinal Esperiosa de lui rendre un acteur confisqué pour les représentations des sacristies, que le roi et le grand inquisiteur, d'accord pour régner, l'un sur le monde réel, l'autre sur le monde spirituel, se disputent avec acharnement le seul être qui fût amphibie, et qui appartînt à la fois à ces deux univers, un acteur : voilà par quoi sont prouvés et le caractère indispensable de ces auteurs qui habillent, et truquent, et rénovent, et maquillent, et jouent dans le jeu du cœur aux échecs, aux jonchets, et aux quilles, mais aussi leur modestie, — car, s'ils ont signé, c'est que l'anonymat ou le pseudonyme sont réservés aux vrais ermites ou aux vrais saints, pour les autres sont les signatures de l'orgueil — ;

mais aussi leur irresponsabilité, — car celui qui prend à son compte personnel aussi bien les statues des rois et des élus sur les cathédrales que dans leur niche éphémère les statues des sentiments humains, ce ne sont pas les sculpteurs, ce ne sont pas les écrivains, c'est d'en bas le peuple tout entier, et d'en haut le Très-Haut.

Dans la France du XVIIe siècle, il n'est pas moins facile de distinguer la signature du théâtre français. Théâtre français est d'ailleurs beaucoup dire, et l'expression de théâtre parisien ou de théâtre versaillais convient infiniment mieux. Le peuple ici n'est pour rien dans son essor ou dans sa gloire. Ce théâtre est aux antipodes de la naïveté, de l'improvisation, et, il faut le dire, de la simplicité. Sa carrière est la carrière même de la royauté française. Il est uni à elle, et vit par elle. Ses transformations et ses enrichissements sont ceux mêmes de la cour. Quand le roi épouse une Italienne ou une Espagnole, le théâtre reçoit aussi un présent italien et espagnol. Le *Cid* est un acompte sur la dot de la future femme du petit roi. La représentation n'est plus que le tournoi d'esprit et de raffinement d'une cour qui n'est elle-même que le miroir à facettes de son souverain. La grandeur de la littérature française, qui compense alors largement son manque de jeunesse et d'élan, vient de ce qu'elle a pris pour base la plus basse à ses études sur l'homme, le roi. Le roi, qui est dans toutes les autres conceptions humaines le point d'arrivée, est ici le point de départ. Tout ce qui est pensé et publié en France est donc la nourriture spirituelle du futur roi, du futur dauphin, de la future abeille reine, est la pensée paternelle. Combien peut-on citer d'œuvres, sous ce règne, qui ne furent pas écrites *ad usum delphini.* La formule du roi-soleil est, autant qu'une formule de splendeur, une formule d'unanimité. La pensée du siècle est royale. L'objet de l'écrivain est toujours l'étude des conflits normaux humains, mais cet humain est doué d'une âme royale. Les héros de Racine, de Quinault, ou de Pradon sont des rois, non parce que les auteurs aiment les sujets rares, mais au contraire parce que le roi est, en France, le personnage moyen et universel. Peut-être d'ailleurs est-ce cette conscience, non pas royaliste, mais royale de l'homme, qui, beaucoup plus que la conscience humaine du XVIIIe siècle, a amené la Révolution et a fait l'égalité, comme disent les chants révolutionnaires, non par un peuple d'hommes, mais par un peuple de rois.

On voit dès lors quelle forme doit prendre sous Louis XIV la question du théâtre. Bien avant qu'il fût lui-même l'inspirateur des sujets tragiques ou comiques, il en était totalement responsable. Un roi n'est responsable que devant Dieu. Il n'admet que cette responsabilité, mais celle-là, il la reconnaît entièrement et humblement. Le destin du théâtre de Louis XIV sera celui que lui laissera le dénouement de la lutte qui se joue dans la conscience du roi. Ce n'est pas l'insuccès, le manque de génie, la désaffection d'une clientèle, la maladie, qui, tout d'un coup, installent le silence sur une scène où la voix résonnait à son plus haut timbre : c'est le léger coup donné à la porte du roi par son confesseur, le léger coup donné à son âme par le scrupule, c'est l'âge du roi. Au moment où le théâtre entre dans sa pleine jeunesse, le roi entre dans son âge adulte. Au moment où la littérature parvient par ses triomphes dans ce stade si rarement atteint qui est la liberté, la liberté de penser, avec Molière, et la liberté de savoir, avec Racine, — et aussi va peut-être atteindre cette liberté d'éprouver qu'est l'orgueil, — le roi, sous le poids d'une royauté lourde, est amené à changer cette notion élyséenne de la vie qui était la sienne contre l'idée de ses devoirs, et à s'incliner devant leur nouveau symbole, la modestie. C'est par modestie que le siècle de Louis XIV a borné la carrière de son génie, de même que c'est par modestie que Racine s'est tu après *Phèdre*. Au moment où la comédie tire enfin de tous les oripeaux de la comédie italienne ces hommes nus qui sont *Don Juan* et le *Tartufe*, où la tragédie dégage de toute la garde-robe de Lulli et de Quinault cette femme nue qu'est Phèdre, le personnage fatidique intervient, que ce soit sous la forme du scrupule, du prêtre, ou de Mme de Maintenon, et fait remarquer au roi que ni *Don Juan*, ni *Tartufe*, ni *Phèdre* ne sont de lui, ne peuvent être signés de lui. Molière dépêche deux acteurs, jusqu'au milieu de la guerre des Flandres, envoie trois placets pour obtenir cette signature. Racine désespérément attend un signe, et l'endossement par le roi de sa tragédie. Le roi hésite : va-t-il consentir à continuer d'être Molière, d'être Racine ? Non... *Tartufe*, et *Phèdre* étaient sortis de la vérité, de la modestie royale, et avec eux leurs auteurs. Ils apparaissaient dès lors aussi étranges et irrévérencieux, aussi vains, que des somnambules sur les toits de Versailles. Les deux pièces n'étaient pas signées Louis XIV, elles devenaient infamantes pour leurs auteurs. Molière s'en est tiré par la mort, Racine par le silence. Mais c'est fini. L'âge classique a vécu, et nous trouvons là, par hasard, la vraie définition du mot classique, c'est celle que nous avons énoncée déjà ; c'est celle qui nous nomme aussi le véritable auteur des pièces de théâtre sous Louis XIV : l'art classique est celui d'une certaine classe, qui est la classe royale...

UN DUO

Je connais peu de moments plus pathétiques dans notre histoire littéraire et morale que le dernier épisode d'une grande lutte, que le dialogue engagé vers 1690 entre Racine et Bossuet, et que l'on peut reconstituer en citant mot à mot les dernières préfaces du premier, et les *Maximes sur la Comédie* du second.

Racine est seul ; sa troupe, comme on dit au théâtre et dans l'armée, est décimée et dispersée. Il n'a plus autour de lui que les demoiselles de Saint-Cyr. Elles sont sa dernière défense, et la défense aussi du Louis XIV d'autrefois. L'amour de la gloire et de la guerre, La Vallière et La Champmeslé, la soif d'éclat et de connaissance, ces jeunes filles en sont le seul vestige. Il n'y a plus qu'Esther pour défendre Hermione, et Roxane et Phèdre. Mais c'est justement Esther que Bossuet attaque, car Esther représente encore l'amour, le triomphe de l'amour, et il n'y a plus pour protéger Esther qu'un Racine humble et vaincu d'avance.

Écoutez la modestie des arguments avec lesquels il essaye de défendre la plus grande audace et la plus grande réussite humaine dans l'étude du cœur humain :

« Monseigneur,

« C'est exact. Nous jouons une pièce, mais cela est utile à ces jeunes demoiselles. On leur fait réciter par cœur et déclamer les plus beaux endroits des poètes. Et cela leur sert surtout à les défaire en quantité de mauvaises prononciations qu'elles pourraient avoir apportées de leur province. On a soin aussi de faire apprendre à chanter à celles qui ont de la voix, et on ne leur laisse pas perdre un talent qui les peut amuser innocemment et qu'elles peuvent employer un jour à chanter les louanges de Dieu. »

Et le chef de l'armée victorieuse, Bossuet, répond (je cite aussi mot à mot ses *Maximes sur la Comédie* parues en 1694) :

« Chanter ? Même les airs de Lulli étant répétés dans le monde ne servent qu'à insinuer les passions les plus décevantes en les rendant les plus agréables et les plus vives qu'on peut par le charme d'une musique, qui ne demeure si facilement imprimée dans la mémoire qu'à cause qu'elle prend d'abord l'oreille et le cœur... Pendant qu'on est enchanté par la douceur de la mélodie, les sentiments s'insinuent sans qu'on y pense et plaisent sans être aperçus... Sur ce point Esther n'est pas éloignée de Phèdre. »

Et Racine reprend :

« Phèdre ? Ce que je puis assurer, c'est que je n'ai point fait de pièce où la vertu soit plus mise à jour que dans *Phèdre* ; les moindres fautes y sont sévèrement punies ; la seule pensée du crime y est regardée avec autant d'horreur que le crime même. Les passions n'y sont présentées aux yeux que pour montrer tout le désordre dont elles sont cause ; et le vice y est peint partout avec des couleurs qui en font connaître et haïr la difformité. »

Et Bossuet répond :

« Je sais, vous l'avez déjà dit. La passion paraît sur les théâtres comme une faiblesse, je le veux bien. Mais elle y paraît comme une belle, comme une noble faiblesse, comme la faiblesse des héros et des héroïnes, enfin comme une faiblesse si artificieusement changée en vertu qu'on l'admire et qu'on ne peut souffrir de spectacle où non seulement elle ne soit, mais encore où elle ne règne et n'anime toute l'action. »

Et Racine reprend, en appelant au secours son héroïne préférée, l'héroïne préférée de Louis XIV :

« Je pensais pourtant que Bérénice est une leçon de noblesse et ne peut inspirer la moindre pensée illégitime que par accident. »

Et Bossuet éclate :

« C'est cela, parlons de Bérénice. Osez dire qu'une pièce comme votre *Bérénice* n'entretient pas directement et par soi le jeu de la convoitise, et que, pendant que vous choisissez les plus tendres expressions pour représenter la flamme dont brûle un amant insensé, ce n'est que par accident que l'ardeur des mauvais désirs sort du milieu de ces flammes! »

Et Racine :

« Mais Esther! »

Et Bossuet :

« Mais Esther!

« Dites que la pudeur d'une jeune fille n'est offensée que par accident, par tous les discours où une personne de son sexe parle de ses combats, où elle arme sa défaite, et l'avoue à son vainqueur même, comme elle l'appelle! Ce qu'on ne voit point dans le monde, ce que celles qui succombent à cette faiblesse y cachent avec tant de soin, une jeune fille le viendra apprendre à la comédie! Elle le verra non plus dans les hommes à qui le monde permet tout, mais dans une fille qu'on montre comme modeste, comme pudique, comme vertueuse, en un mot dans une héroïne, et cet aveu, — dont on rougit dans le secret, — est jugé digne d'être révélé au public et d'emporter comme une nouvelle merveille l'applaudissement de tout le théâtre. »

Et Racine, sentant d'autant plus la vérité de ces paroles, que Bossuet est son propre disciple, s'incline, convaincu par lui-même, et dit, — (je cite ici toutes les paroles de ses dix dernières années) :

— Très bien. Je me tais...

C'est par ce duo que s'est clos notre théâtre classique, par le duo où Louis XIV-Racine discute le fond de son âme avec Louis XIV-Bossuet, et doit abandonner une seconde fois Bérénice-La Vallière, Esther-Mancini, non plus seulement dans le présent, mais dans l'éternité, mais pour l'éternité...

LE METTEUR EN SCENE

Conférence faite le 4 mars 1931
à l'occasion d'un Congrès du Théâtre

Ce n'est pas mon ami Jouvet que je veux vous présenter aujourd'hui. Présenter au public celui qui vient de se présenter à lui dix mille fois de suite, — je ne compte pas les matinées, — et sous une bonne centaine de formes, ce serait une entreprise assez présomptueuse. D'ailleurs il n'y a jamais eu entre Jouvet et moi qu'un contrat, celui qui exclut les félicitations mutuelles, — excepté aux insuccès, — et qui remplace la louange réciproque par une collaboration spécialisée, une affection ouvrière, et le dévouement que suppose cet artisanat de théâtre qui est devenu, comme dit l'opérette, ma passion et mon honneur. Il se trouve que, du fait de Jouvet et semblable à ces découpures de papier japonais qui ne sont que du papier, moi, qui ne me croyais que du papier, je deviens, dans la piscine jouvetienne, tantôt un chrysanthème, tantôt un glaïeul, et qu'il ne m'est pas interdit d'envisager pour mon proche avenir un épanouissement en lys ou en rose. On serait reconnaissant même à un dieu de pareilles métamorphoses, et je me venge de la modestie qui m'oblige à me taire au sujet de Jouvet directeur, en reportant mon admiration sur Jouvet acteur et en voyant en lui un des plus grands comédiens que la scène française ait connus. Mais je ne crois pas inutile de consigner aujourd'hui, pour ceux qui n'ont pas eu l'occasion de le faire eux-mêmes, quelques-unes des réflexions qui me sont venues à son contact et au contact de son théâtre. Elles seront une contribution aux nombreux efforts de ceux qui ont voulu étudier l'histoire de la mise en scène après la guerre de 1914 dans les deux théâtres qui nous intéressent le plus, le théâtre allemand et le théâtre français.

La définition du metteur en scène dans le théâtre allemand était récemment encore très simple : il était le théâtre.

Du coin poussiéreux et anonyme qu'il occupait autrefois dans les coulisses, le metteur en scène était devenu le roi de la scène. Lui qui n'avait aux âges classiques que la tâche médiocre et méritoire d'obtenir un accommodement passable entre un texte, des acteurs et une scène ; qui ne s'occupait des décors que pour les faire rogner ou agrandir, et transformer en margelle du puits de Marguerite le balcon de Juliette, était passé de ce rôle d'entremetteur et d'économe au rôle de créateur absolu. Sa royauté partait de deux principes. Le premier concernait le décor ; il peut s'énoncer ainsi : « Le théâtre est l'art suprême. » Tous les autres arts, peinture, sculpture, musique, ne sont plus que ses serviteurs. Dans son action sur l'art et sur l'industrie, l'architecture de la scène a remplacé ce qu'était l'architecture monumentale des siècles ornés et heureux. L'œuvre qu'était sous Sémiramis ou sous Théodose la construction d'un palais, l'excès d'inspiration qu'elle passait aux arts et aux métiers, la débauche de respect et d'imagination qu'elle donnait au peuple, ne peut plus être obtenu maintenant que par la construction de ce château intérieur, de ce palais de serre chaude, qui est une représentation théâtrale. C'est un château non plus millénaire mais éphémère, et qui ne parvient à sa centième journée que dans des occasions bien rares ; mais cette vie rapide permet justement de l'équiper et de l'orner avec toutes les beautés de nature fugitive mais fulgurante que la vraie architecture est contrainte de se refuser. Armé de toutes les couleurs, de toutes les fumées, de toutes les apparences, l'architecte-régisseur peut enfin se laisser aller à cette passion contre laquelle seuls le style grec et le style français ont réagi, et qui a été de tout temps le principe de l'architecte et de l'architecture : la démence. Un soleil qui s'arrête à volonté, un paysage qui se hausse à la voix, des monuments qui se promènent au sifflet, c'est-à-dire tout ce qu'un architecte, même de logis ouvriers, considère comme une injustice de ne pas avoir à son service, le régisseur en a pleine disposition. Le contraste de cette orgie visuelle avec l'époque démocratique ne l'effraye pas, au contraire. Du fait qu'elles sont éphémères, et par cela même qu'elles lui appartiennent, la démocratie ne peut trouver à redire à des accumulations de luxe et de richesses. Le théâtre populaire, dont le seul reste en France était encore récemment la triste cavalcade de la mi-carême, exige le brocart et l'or pour les moindres comparses. L'ouvrier électricien admet tous les monuments dont le gros œuvre est d'électricité ; le mécanicien et le chauffeur, les excentricités les plus coûteuses de la machinerie et toutes les Vénus, pourvu qu'elles soient nées du charbon. A la cathédrale gothique périmée, au palais Louis XV de son prince dont il ne fréquentait que les jardins, l'Allemand s'habitua vite à préférer le palais à vingt faces évoqué pour lui du néant, tous les soirs, par le régisseur, pour la première veille de sa nuit. Avec ce théâtre, même dans les conditions de malheur et d'incertitude où l'époque l'avait plongé, il était mis dans l'état d'esprit du mendiant qui est sûr, le soir, de rêver qu'il est roi. Les billets d'abonnement auxquels il souscrivait avec ferveur n'étaient pas des tickets de location ; ils étaient des baux, des baux qui garantissent l'usage hebdomadaire ou quotidien de sa maison irréelle, baux merveilleux qui assurent des tapis d'escalier en persan pur, des vues imprenables sur Babylone ou sur Carthage, et la transformation subite de meubles romains de fer ou de bois, quand au bout de dix minutes vous en êtes dégoûté, en meubles byzantins d'or massif.

Autour de ce palais déchaîné et impalpable, protégé contre la pluie et la neige par les coupoles sages et bourgeoises des vieux théâtres, s'agite une armée, plus nombreuse que l'armée d'entretien exigée autour de Saint-Pierre ou de Versailles, de peintres, de décorateurs, de sculpteurs, de tous les maçons de la toile et de tous les terrassiers du plaqué. Architectes, costumiers, spécialistes de la vapeur, de la couleur, de la vérité, de la fausseté, exécutent avec furie, pour ce domaine idéal, tout ce que leur époque ne leur commande pas, essayent sur Troie ou sur Athènes leur théorie des constructions modernes, sur la coque du *Hollandais Volant* leur plus récent modèle de compresseur et de turbine. Toutes les scènes parquetées en pacifique sapin de la Forêt-Noire, modèle de stabilité, se donnent convulsivement à des mouvements rotatoires, et le brave cheval de la *Walkyrie*, avec son odeur d'étrillage frais et sa lèvre supérieure couleur de foie gras naturel, cède la place à de vrais escadrons de feu. Peu importe le sujet de la pièce, peu importe qu'il s'agisse de princes ou de mendiants, car la roulotte de la bohémienne devient aussi une roulotte princière et démente, car les hardes sont faites par la couturière — la plus chère et la plus habile — spécialisée dans la confection des haillons, car le domaine des mendiants, qui est la misère, comporte des beautés particulières mais particulièrement valables pour la régie : tout ce dont on souffre, la pluie, la neige, la forêt, et ce dans quoi l'on vit, le taudis, l'arche du pont, la chambre de chauffe, et ce dans quoi l'on se suicide, la mer, le fleuve, ou la plate-forme. Bref, tous les soirs, le régisseur entend offrir aux citoyens avides et étonnés le spectacle de gala que s'offraient, tous les ans, les monarques pour la fête de leur naissance, et, en fait, dans ce bain de luxe et d'imagination, la démocratie allemande, modeste et placide, fêtait, mais tous les soirs, son anniversaire.

Le second principe du régisseur n'était pas moins autocratique. Il dérive du premier. Il est le suivant : « Une pièce ne doit pas être jouée, mais interprétée. » Une pièce n'est pas un débat de conversation qu'il convient de donner au public avec la plus grande clarté et la plus grande fidélité. Elle n'est plus seulement un texte qui doit permettre au régisseur d'utiliser les acteurs de sa troupe. Sa troupe d'acteurs, quelle que soit son importance, n'est qu'un élément dans les ressources de sa régie, et ce sont toutes ces ressources que la pièce doit mettre en action. Le régisseur est donc infiniment plus qualifié que l'auteur pour établir entre la pièce et les possibilités de son théâtre cette adaptation qui donnera le succès. Il aura sur l'auteur l'avantage de pouvoir étendre sans défaillance la pièce sur ce lit de Procuste, pour l'amputer ou l'étirer. L'auteur souffre quand on coupe son texte, même dans les parties les plus anémiques, même dans celles qui sont peu de lui. Le régisseur, au contraire, sait avec le plus grand sang-froid tailler dans le foie et dans le cœur même. L'axiome d'après lequel il faut écarter tout parent d'une opération devrait suffire à éloigner l'auteur un peu intelligent des répétitions. Si l'on peut tenir éloigné de la salle de chirurgie le patient lui-même, quel succès assuré!

D'ailleurs, quel que soit l'état conscient dans lequel l'auteur a écrit sa pièce, il ne la connaît pas. La meilleure preuve est qu'il la croit toujours parfaite. De même qu'il en ignore les faiblesses, il se trompe sur ses qualités et son genre même. Bref, il la croit un poème, un texte, alors qu'elle est surtout un document. Elle y gagne, puisque tout poème n'est pas excellent et que tout document a son intérêt. Au point de vue de notre époque, ce texte vaut comme vaut la lettre d'un guillotiné ou le message de Charlie Chaplin, mais c'est justement dans l'interprétation de ce document que réside la mission du metteur en scène. C'est le metteur en scène qui découvrira en particulier s'il est effectivement comique ou tragique, et bien des auteurs qui avaient apporté des drames les ont vus, sous l'action révélatrice de la régie, apparaître en comédies ; bien des auteurs de pièces en trois actes les ont vues se présenter au public hachées en vingt tableaux. J'ai rencontré un auteur qui sortait en pleurant de son théâtre. C'est que sa tragédie y devenait une farce.

Cette tyrannie d'ailleurs n'est plus anonyme. Chaque régisseur a sa théorie du rythme, du jeu, de l'évolution théâtrale. Il est devenu célèbre à cause de cette théorie même. Il a ses particularités, aussi reconnues que celles d'un grand couturier ou d'un grand restaurateur, et qui lui ont valu des amitiés ou des hostilités passionnées. Elles sont sa firme, sa raison d'être. Sur les affiches, la simple indication du régisseur attire le public autant que celle du nom de l'auteur. Le public tient autant à voir de quelle façon le régisseur a compris cette pièce que de voir la pièce elle-même ; la pièce devient l'étoffe avec laquelle le couturier bâtit sa robe ou, plus exactement, le livret sur lequel le musicien fait son opéra.

Les avantages de cette royauté de la régie sont considérables. Elle a rapproché du théâtre et uni intimement à sa vie active et improvisée tout ce que l'Allemagne comptait de talents dans des arts relativement solitaires et lents : peinture, architecture, décoration. Elle les a admirablement préparés pour l'établissement d'un décor moderne de la vie courante, pour la construction, improvisée elle aussi, des villes ouvrières et la réfection des régions dévastées. Elle a contribué à habituer les dirigeants, les chefs d'usine, les présidents de compagnies de chemins de fer, à la largeur de vues dans les travaux d'urbanisme, dans le style et l'ampleur des édifices. L'échelle des constructions pratiques en plein air, fût-ce des soupes ouvrières ou des cabinets de toilette, reste en Allemagne le théâtre, la construction magique et démesurée obtenue par des artifices en vase clos ; et, de même que chez nous on retrouve maintenant le style des ballets russes jusque dans la décoration des cuisines, l'école du théâtre n'a pas peu contribué à donner à l'architecture allemande sa compréhension de l'espace et de la perspective.

En ce qui concerne les œuvres mêmes, la théorie du régisseur roi a permis de présenter chaque chef-d'œuvre classique non plus dans la forme stéréotypée léguée par la tradition et la routine, mais sous vingt aspects complètement différents. On peut dire que les créations de Shakespeare, par exemple, ou de Gœthe, ou de Schiller, ou de Strindberg, ont dû livrer, sous les rayons de la régie allemande, tous les spectres différents et parfois contraires que chacun contenait. On y a vu un Falstaff maigre, un Hamlet sensé, un Chérubin mâle. On a vu divers metteurs en scène, à toutes les époques de leur vie, reprendre, dans des conceptions qui se complétaient ou se contredisaient le *Tartufe* ou le *Songe d'une nuit d'été*. Cela devient alors le combat d'un poète contre un autre poète, du poète conscient et interprète contre le poète inconscient et créateur. Il arrive ainsi que chaque manifestation de vénération pour un grand auteur classique devient du même coup une manifestation d'impatience contre le passé et son ornière. Le public est porté du moins à suivre cet exemple. Il est porté à faire subir à ses propres pensées mesquines ou vulgaires le sort qu'il voit imposer par le régisseur à des pensées sublimes, à ne point se satisfaire de leur marche et de leur ordonnance habituelles, à les soumettre à la mode et à ses révisions, et finalement ces attentats aux textes les plus classiques confirmaient le peuple allemand dans sa qualité la plus sûre : la foi dans le changement.

Il était évidemment des gains plus douteux. Dans un pays d'occupations stables et d'esprit critique, cette efflorescence du termite théâtral aurait pu agir, comme au XVIIIe siècle italien, non pas sur le raisonnement intime du public allemand, mais sur sa pensée de gala, pensée qu'au retour du théâtre l'on range, avec l'habit des dimanches, jusqu'au prochain bal ou la prochaine représentation. Il aurait pu se trouver aussi qu'une pléiade d'auteurs de génie, envahissant cette scène si bien préparée, la soumissent à leur invention. Mais ni l'un ni l'autre de ces heureux états n'existaient. Dans son activité euphorique d'avant-guerre, dans les souffrances et l'épuration de la paix, il se trouva que les travaux d'imagination n'étaient pas, en Allemagne, le privilège d'une caste, celle de l'art, mais que, dans toutes les branches de l'activité, à la tête des compagnies de navigations ou de chemins de fer, des entrepris métallurgiques ou chimiques, des ministères des Colonies ou de la Guerre, à la tête de la paix et de la guerre elles-mêmes, les puissances raisonnantes furent remplacées par les puissances d'intuition. Il arriva donc qu'intervertissant les rôles, le public, soumis aux lois de l'imagination et de l'illusion dans son travail à l'usine, dans son séjour aux tranchées, dans les alternances de sa richesse et de sa pauvreté, dans le passage subit du merveilleux assouvissement de tous ses appétits à toutes les humiliations et toutes les famines, fut amené à demander au seul de ses goûts et de ses arts qui lui parût fixe et florissant, au théâtre, la réflexion et le conseil pratique. La masse passive et consentante qui se déversait samedis et dimanches dans les salles allemandes fut changée peu à peu en une foule de consultants autoritaires. Au moment même où le metteur en scène devenait le tyran des auteurs, le public devenait le tyran et l'inspirateur du metteur en scène. Tout ce grand appareil d'imagination que le metteur en scène avait construit pour orner et illuminer les grands poètes de l'humanité, le public, ne se contentant pas de chercher dans les dialogues de Kleist ou de

Schiller une réponse à ses angoisses, obligeait la régie à l'appliquer à des pièces rapides et modernes.

Il n'y a de patience au monde que dans la bourgeoisie. La volupté esthétique de la bourgeoisie, qui est le ruminement, se prêtait autrefois à l'abondance et à la longueur des dramaturges classiques. La part de la bourgeoisie allemande qui arrivait encore à manger n'avait plus la force de ruminer ni de se contenter, comme conseils pour un avenir inquiétant, des préceptes de Faust, ou des monologues de Wallenstein. La situation du pays et de chaque citoyen était trop tragique pour que le terme tragédie, confiné aux malheurs théoriques et hypothétiques des princes, ne changeât soudain de camp et ne désignât pas uniquement les quelques terribles aventures où se débattait le peuple lui-même. Les tragédies du conflit du devoir et de l'amour, de l'ambition et de l'affection filiale, de l'amour divin et de la volupté terrestre, cédèrent le pas à des sœurs jeunes et épouvantables, celle de la faim, celle de la maladie contagieuse, celle de la promiscuité, bref, celles de toutes les tyrannies modernes. L'âge des passions aussi changea. Alors qu'on avait respecté jusqu'ici la limite d'âge pour le héros de tragédie, comme pour l'acteur lui-même, le théâtre donna en série des tragédies d'enfants, où les héros et les héroïnes étaient encore de jeunes adolescents, mais s'appropriaient tous les accessoires du grand répertoire classique, la joie, la misère, le crime, l'amour et le suicide. Après 1918, dans le but de trouver une distraction à l'obsession de la guerre, tout ce qu'il y avait de jeunesse et de talent dans l'intelligence et la poésie allemandes se précipita ainsi vers un purgatoire imaginaire de meurtres, de batailles sociales, de mutineries qui devaient forcément ramener tous les écrivains à l'enfer même, à la guerre. De là les pièces et les romans sur les lois de la propriété, sur les lois des sexes, sur les grandes naissances et les grands avortements de l'humanité, aboutissant à l'éclosion subite de tant de films et de romans dont la guerre, civile ou nationale, était le sujet. De là l'apparition d'un théâtre d'excitation directe. Mobilisant sur la scène non plus des armées de figurants, mais de participants, mélangeant les acteurs et les marionnettes, la lumière colorée et le cinéma, la scène centrale et les trottoirs roulants, poursuivant son rêve d'un théâtre complètement en verre et transparent jusque dans le bureau de location, le metteur en scène fait courir Berlin vers une série de spectacles de mutineries, de meurtres, de scandales, où les héros périmés cèdent la place à Guillaume II et à Trotsky, à Nicolas II et au maréchal Foch, à Liebknecht et au roi des pétroles.

Ainsi était atteint le point culminant de cette évolution à laquelle la montée du national-socialisme semble d'ailleurs devoir apporter un terme.

Si nous revenons maintenant au théâtre français, nous sommes stupéfaits de voir que c'est presque l'évolution inverse qui a eu lieu. Rien ne peut mieux illustrer l'histoire comparative de ces deux peuples jumelés que de constater, dans l'art qui leur est commun par excellence et qui est celui où leurs échanges sont le plus fréquents et sympathiques, que des événements qui sont les mêmes ont amené chez eux les réactions exactement contraires. Le terrible enchaînement de faits qui poussait le théâtre allemand d'avant-guerre, purement artiste et esthétique, à la réalité et à la politique, qui remplaçait dans les salles une bourgeoisie soumise par une masse impatiente, en France au contraire éloignait des scènes le théâtre réaliste dit libre au profit du théâtre d'art et faisait succéder un public lettré au public purement mondain. La digue jetée par la guerre entre les deux nations favorisait en France l'accumulation de cet élément, qui, par une contradiction souvent constatée, l'élève au-dessus d'elle-même et au niveau de tous les autres peuples : l'intimité. Il semble, au premier abord, que les Allemands qui ont pris à cœur, pendant la guerre, et tiraient orgueil, de lire les auteurs français, de jouer sur leurs scènes des pièces françaises, de conserver leur lycée français, devaient mieux entretenir contact et osmose que les Français, chez qui le fait d'apprendre l'allemand au lycée devenait de l'espionnage et auxquels le vieux Saint-Saëns, dans une offensive approuvée par les corps constitués, prouvait en vingt articles à la musique allemande qu'elle n'existait pas. Ce ne fut point le cas. L'Opéra de Paris ne jouait pas Wagner, les éditeurs français n'éditaient plus les romantiques ; mais, alors que nos services de surveillance croyaient que la littérature et la musique allemandes étaient heureusement parquées dans les camps de concentration ou n'en menaient pas large devant le rouleau compresseur, l'intimité des familles et des groupes leur ménageait le soir leur place dans une atmosphère de recueillement plutôt que de conjuration, comme à un enfant trouvé, enfant trouvé du nom de Schubert et de Hoffmann. Et il en fut de même des auteurs anglais, ou américains, ou même français. Au lieu de voir dans la guerre une raison de se libérer de vieilles habitudes, le Français cultivé y vit une raison de goûter les agréments qu'il avait dû négliger par désœuvrement ou dédain du loisir pendant la paix. Mourir sans avoir lu *La Chartreuse de Parme*, sans avoir lu Dostoïevsky, sans avoir entendu *Les Noces de Figaro*, c'eût été vraiment trop bête. Au-dessous des manifestations littéraires du nationalisme professionnel se constituait ainsi en France, dans les âmes particulières, et toujours en vertu de cette intimité, une espèce d'internationale ; et il advint (toujours en raison d'une logique qui semble de la contradiction aux experts mal informés) que, lorsque la plupart des nations, anglaise, américaine ou italienne, l'uniforme de leur guerre internationale une fois mis de côté, se retrouvèrent le plus violemment nationalistes, la France, sa guerre nationale finie, se retrouvait avec une connaissance plus intime et un goût plus large de la culture et de l'esprit internationaux. La guerre fut, pour la France sédentaire, le premier voyage qu'elle eût fait depuis bien longtemps, en son ensemble, dans l'imagination et dans la sensibilité. Un public nouveau était prêt : le public toujours croissant des musiciens, disposé à se réconcilier avec le théâtre, si les lois du théâtre se subordonnaient à la loi la plus élémentaire de la musique : la distinction ; le public croissant des lettrés, ne demandant qu'à accompagner et à soutenir au théâtre ses romanciers préférés, s'ils n'y trahissaient pas la loi même du roman : qui est que chaque phrase en soit un roman même ; le public, croissant aussi, des femmes, non plus de ces spectatrices de tout spectacle qui venaient, assises dans un fauteuil étrangement semblable au fauteuil du coiffeur qu'elles venaient de quitter, demander à une intrigue faussement sentimentale une frisure de quelques heures, mais de femmes désireuses d'éprouver, au milieu d'une foule parée et indifférente, le sentiment le plus violent et le plus intime... Un corps nouveau d'acteurs s'était créé. Tout ce vocabulaire attaché autrefois en France au mot acteur : raté, bohème, vedette, brio, misère et luxe, nullité et génie, était remplacé par un vocabulaire plus normal : culture, conviction, ensemble... Avec un sens critique et un goût développés, l'acteur, lui aussi, était devenu le public de la pièce qu'il jouait...

En quoi pouvaient se satisfaire cette fraternité et cette collaboration du public et des acteurs ? En provoquant, comme en Allemagne ou en Russie, la prépondérance de la mise en scène ? Certes non... Le Français n'aime pas dépenser tous ses sens à la fois. Alors que tout l'effort théâtral européen aboutissait à une confusion générale des genres, il s'appliqua à réaliser leur séparation. En art comme en cuisine, le mélange lui répugne. Tout ce qu'il exige dans le ballet ou l'opéra, il le réprouve dans la comédie. Il vient à la comédie pour écouter, et s'y fatigue si on l'oblige surtout à voir. En fait, il croit à la parole et il ne croit pas au décor. Ou plutôt, il croit que les grands débats du cœur ne se règlent pas à coups de lumière et d'ombre, d'effondrements et de catastrophes, mais par la conversation. Le vrai coup de théâtre n'est pas pour lui la clameur de deux cents figurants, mais la nuance ironique, le subjonctif imparfait ou la litote qu'assume une phrase du héros ou de l'héroïne. Le combat, assassinat ou viol, que prétend représenter le théâtre russe sur la scène, est remplacé chez nous par une plaidoirie, dont les spectateurs ne sont pas les témoins passifs, mais les jurés. Pour le Français, l'âme peut s'ouvrir de la façon la plus logique, comme un coffre-fort, par un mot : par le mot, et il réprouve la méthode du chalumeau et de l'effraction. Il se refuse à ne pas considérer le dialogue comme la forme suprême du duel pour la créature douée de parole ; c'est le pouvoir de ce dialogue, son efficacité, sa forme, donc les mérites purement littéraires du texte, qu'il aime éprouver sur soi-même. L'action théâtrale consiste pour lui non pas à se soumettre à un massage forcené de vision et d'émotion presque physiques d'où il sort exténué, comme du hammam, mais de brancher ses soucis et les conflits de sa vie et de son imagination personnelle sur un dialogue modèle qui peut les élucider. La compréhension du théâtre comme d'un gala humain, et non démoniaque, ne permet donc pas que l'attention passionnée portée par lui au texte soit troublée par des interventions trop distrayantes de la régie. Le spectateur de la Comédie-Française ne comprendrait pas, — inventions habituelles à d'autres régies, — que l'on fît passer au fond de la sène une caravane de vrais chameaux pendant la déclaration de Mithridate à Monime, ou, pendant la scène de *La Parisienne*, de Becque, douze Parisiennes toutes différentes, symboles innombrables de l'unique symbole. Il ne croit pas au décor. Le décor reste pour lui la salle de spectacle elle-même, avec ses lumières, ses balcons ; il veut le décor pendant les entractes, les longs entractes. C'est le spectateur qui a besoin d'être décoré, non le dialogue. Sur la scène, le décor vrai lui paraît faux, et à juste titre, puisqu'il n'est qu'une imitation ; le décor volontairement et grandiosement irréel jure avec un texte qui, lui, est vrai, et ces deux solutions sont donc également à bannir, puisque toutes deux amènent le décor moral ou sentimental que dégage le texte à s'inscrire dans un cadre complètement contradictoire. Il ne reste qu'une troisième solution : le décor de convention, et, en fait, toutes les batailles livrées en Allemagne ou en Russie pour la découverte du décor imaginaire se sont livrées, entre les metteurs en scène français, pour la découverte de la vraie convention. Il s'est agi de trouver, pour les dialogues de l'époque des avions et des meubles Ruhlmann, l'équivalent de ce qu'avait été pendant deux cents ans, de Voltaire à Émile Augier, la perfection de ce salon Louis XV à pans coupés et à trois portes, et de la forêt avec ses deux arbres de premier plan, celui de droite incliné, celui de gauche avec fourche et nid de pie. Il arriva que tout ce qu'il y avait de primitif et d'arriéré dans nos scènes, les faibles budgets même dont les metteurs en scène disposaient, leur épargnèrent souvent les entreprises aléatoires et facilitèrent leur mission. Public plus attentif, plus patient, acteurs cultivés et consciencieux, metteurs en scène moins tapissiers que poètes, qui devait profiter de cette combinaison rarement réalisée, si ce n'est justement le texte, l'œuvre, c'est-à-dire l'auteur ? De là, en France, cette fervente amitié qui unit l'écrivain de théâtre et le metteur en scène... En fait, l'auteur dramatique a maintenant deux muses, l'une avant l'écriture, qui est Thalie, et l'autre après, qui est pour moi Jouvet... C'est un gain du double sur les âges précédents des littératures.

Il reste seulement à savoir si l'imagination des auteurs, en France, sera capable de faire naître dans leur public cet intérêt à la vie, cette propension à la grandeur, cette confiance dans le monumental au point où l'imagination des metteurs en scène des pays du Centre Europe les a suscités dans le leur.

BELLAC ET LA TRAGÉDIE

Ma ville natale est Bellac, Haute-Vienne. Je ne m'excuserai pas d'y être né. Je ne m'excuserai pas davantage de n'avoir connu de grande ville qu'à ma majorité et de n'avoir passé ma jeunesse que dans cinq villes dont aucune ne dépassait cinq mille habitants. Les profits de ce stage sont incalculables. En somme, je n'ai jamais été moins du cinq millième de chacune des agglomérations humaines dans lesquelles j'ai vécu, et, deux fois, moins du millième. Cela assure déjà à l'enfant son volume, et plus de confiance dans la vie. D'autre part, ce circuit par de petits bourgs et de gros cantons est le seul qui puisse donner la connaissance de la vie française. Au lieu d'avoir à accomplir ce vagabondage d'honneur par des préfectures, dans cet itinéraire Bordeaux-Angoulême-Paris que préfèrent les légionnaires romains, les fonctionnaires ambitieux, et que certains géographes ou historiens considèrent comme la voie sacrée pour connaître la France, alors qu'il n'est, en somme, qu'un jalonnage pour automobiles et chars-à-faux, j'ai été amené par le sort à suivre un chemin ganglionnaire de cantons et de sous-préfectures autrement fructueux pour la prise de conscience de mon état national. Le curriculum Bellac-Bessines-Pellevoisin-Cérilly-Cusset, qu'aucun voyage Cook ne prévoit, est un circuit que l'on ne peut imaginer et réussir que par une suite d'aimantations prodigieusement variées et fécondes. Le déplacement des percepteurs, des contrôleurs des hypothèques, des receveurs de l'enregistrement y est réglé par l'étalon de toutes choses, par l'or. Circuit d'ailleurs qui ne touche à aucune autre civilisation. Jusqu'au douanier qui m'ouvrit à vingt ans les portes de Genève, je n'ai jamais vu un étranger, à part deux Parisiens, venus pour un enterrement, et disparus avec le mort. Les fils et les filles douées étaient évidemment envoyés à la préfecture, mais dans un lycée fermé de grilles où ils étaient mis aussitôt en rapport direct et exclusif avec l'antiquité, et coupés plus encore du monde. La vie y avait aussi peu que possible un caractère individuel, car ces bourgades avaient juste le cadre et la population de la cité antique ; elles avaient juste la superficie du domaine moral où un homme peut être salué partout par son nom, et par ses qualités, et par ses défauts. Chacun y était connu de tous jusqu'au cœur, et il n'y était guère réservé que la connaissance de soi-même. Or, dans chacune de ces petites villes d'ordinaire inoccupées et médiocres, il arrive que tous les deux ou trois cents ans, par un assortiment providentiel entre les rentiers, les commerçants, les fonctionnaires, et aussi par une sympathie soudainement établie entre les divers négoces et les diverses cultures, naît pour quelques années une période qui lui donne l'aisance morale et physique d'une capitale. C'est ainsi qu'autrefois un îlot de la mer Égée, terne depuis deux mille ans, flambait tout à coup de toute la civilisation grecque, et dernièrement, convaincu que toute bourgade en France a eu sa période de Périclès, pour l'avoir connue moi-même dans deux d'entre elles, j'ai voulu rechercher celle de Bellac et j'ai étudié son histoire.

J'ai éprouvé d'abord, dans ces recherches, la surprise réservée à tous ceux qui, parce qu'ils ont joui dans un certain pays d'une jeunesse heureuse et pacifique, croient ne trouver dans son passé que l'entente et le bonheur. On voit à de pareils sondages sur quel pilotis de discordes et de malheurs se sont fondées l'union et la félicité françaises. Bellac, bâti sur le bord des roches les plus anciennes de France, point précis où l'herbe jaunâtre du Poitou et du Berry devient le gazon anglais dru et vert sur lequel tomba le grand corps de Richard Cœur de Lion, tué à quelques lieues, Bellac que je croyais une oasis soustraite aux vicissitudes de l'histoire, n'en a pas évité une seule. Son nom, son nom pacifique qu'on m'avait dit venir de *bella aqua*, belles eaux, veut dire, en fait, *Belli vicus*, c'est-à-dire le bourg de la guerre. Son fondateur, mauvaise affaire et mauvais présage, fut empoisonné par sa femme. En l'an mille, un dragon y parut dans un nuage et le mal des ardents ravagea la ville. Dans les monastères de la basse Marche, dont Bellac est la capitale, tant de grands supérieurs se faisaient alors moines pour mourir sous le froc de la pénitence que les abbés durent refuser même des empereurs. Je vois d'ici l'empereur refusé par le frère portier et regagnant tristement son trône à travers les bruyères limousines, distrait seulement de sa peine, quand la nuit tombait, par le craquement des dents du renard croquant furtivement les baies du genièvre. La peste passa deux siècles plus tard.

Puis la famine. Le tout entrecoupé de guerres, celles des invasions, celles des Croisades, où Geoffroy de Bellac, tenté près d'Antioche par les prés verts qui lui rappelaient son pays, descendit de sa montagne aride et se fit massacrer avec cent mille hommes ; celles des Anglais, de la Jacquerie et de la Ligue ; et, quand par hasard régnait une paix précaire, la révolte des paysans contre l'impôt, la dispute continuelle avec la ville voisine, Le Dorat, pour la primauté dans la Marche. Cependant, au milieu de ces époques noires, la période lumineuse se prépare. Depuis le début du xve siècle, elle est imminente ; mais, juste au moment où la grandeur de Bellac va rayonner sur la province, un événement malencontreux la refoule. Alors que Bellac, comme récompense de sa résistance aux Anglais, en plus des trois fleurs de lys dans ses armes, recevait la visite personnelle de Charles VII et de son fils, cet événement, qui aurait dû marquer le départ de sa floraison, la retarda, car Charles VII fut tellement impressionné par la laideur de la coiffe des femmes qu'il quitta la ville en ordonnant qu'elles en adoptassent une autre sur-le-champ, et le dauphin eut le malheur de perdre à Bellac une lionne que lui avait envoyée Tanneguy du Châtel et qui s'étrangla en sautant par une fenêtre, pendant la nuit. Il en conçut une vive aversion pour Bellac et partit incontinent, bien que les tanneurs de la ville eussent en une nuit préparé la peau. Une seconde période florissante, annoncée par la présence de sainte Colette, s'anéantit dans la peste de 1588. Mais enfin, à dater du siège de 1591, où les partisans de la Ligue échouèrent contre les murs de Bellac, sous lesquels les femmes mêmes combattaient, s'épanouit cette ère de réussite où les impôts ne pèsent pas, où les notaires s'accordent avec les consuls, les militaires avec les récollets, où les grands hommes de la France sont amenés, on ne sait par quel itinéraire qu'ils n'ont plus jamais suivi, à passer par Bellac, qu'ils s'appellent Henri IV, qui vit là pour la première fois une éclipse, La Fontaine, qui y conçut grâce à mon aïeule sa fable du *Coche*, et Fénelon, qui prétend y avoir été reçu par l'écolier limousin lui-même tant il y avait de métaphores dans le discours d'accueil qu'on lui lut ; où, dans la ville même abondent les intelligences, d'où partent de Bellac les professeurs de droit du collège du Louvre, les géographes du roi, les évêques de Tulle, et où les courses de chevaux des bords de la Bazine attirent toute la noblesse du Massif Central.

Or, et j'en arrive enfin à mon sujet, par quoi se manifestent cette euphorie et cette réussite? Par le goût de la tragédie. Par l'apparition des poètes et des personnages tragiques dans la région. Il en est de ma ville entre la fin des Valois et la mort de Louis XIII comme de la plupart des villes françaises dans cette sublime époque de notre littérature : elle exprime tragiquement les moindres accès de sa vie quotidienne. La rivalité entre Bellac et Le Dorat ne se règle plus par des brimades, mais par les tragédies annuelles du sieur Pierre Mailhard, médecin, dont la mère, par bruit commun, était estimée d'ailleurs magicienne, et du sieur Barroque, avocat estimé, lui, ladre et lépreux. Les disputes de famille et de voisinage, trouvent leur expression, non plus dans des procès, mais grâce au poète Jean Prévot, dans des tragédies, remarquables d'ailleurs, intitulées *Œdipe* ou *Hercule*. Comment et pourquoi chaque incident heureux de cette époque introduisait-il un héros grec sur la terre bellachonne? Pourquoi la nomination tant attendue des consuls y convoqua-t-elle Didon et Énée? Pourquoi l'établissement des foires particulières y amena-t-il, dans le cortège des célèbres chevaux limousins, une Junon et une Achate? Pourquoi, à cette érection de vicariats en faveur des prêtres communalistes, qui marque un progrès dans le clergé de Bellac, correspondit aussitôt l'introduction dans la cité de Saül et des habitants de Sodome et de Gomorrhe? Pourquoi, parallèlement à la construction d'un magnifique grenier à sel et d'un château d'eau, s'édifièrent, aux jours de fête, des Babylones et des Athènes sur le parvis de l'église ou sur la place du marché? Bref, pourquoi la tragédie était-elle le spectacle préféré de mes Limousins incultes dans leur époque heureuse, et le héros tragique leur invité préféré? C'est un jour où je me posais toutes ces questions, qu'elles s'élargirent, quittèrent Bellac, et de la basse Marche gagnèrent la France.

Qu'est-ce que la tragédie? C'est l'affirmation d'un lien horrible entre l'humanité et un destin plus grand que le destin humain; c'est l'homme arraché à sa position horizontale de quadrupède par une laisse qui le retient debout, mais dont il sait toute la tyrannie et dont il ignore la volonté.

Qu'est-ce que la France? C'est l'affirmation d'une vérité humaine et qui ne comporte aucune adhérence avec les survérités et les supermensonges. La tragédie suppose l'existence d'une horreur en soi, d'une menace immanente, d'une stratosphère surpeuplée. La France suppose au-dessus d'elle une couche d'air agréable à respirer et dont la densité va s'atténuant avec les progrès de l'altitude.

Qu'est-ce que le héros tragique ? C'est un être particulièrement résigné à la cohabitation avec toutes les formes et tous les monstres de la fatalité.

Qu'est-ce que le Français, bellachon ou non bellachon ? C'est un être peu accueillant déjà pour les étrangers, qui l'est encore moins pour l'étrange et dont la langue et le vocabulaire, par leur netteté et leur clarté, déclinent toute traduction de l'inhumain.

Qu'est-ce que la fatalité pour le Français ? Il n'admet qu'une de ses formes : la fatalité familiale. Casanier par nature, il préfère trouver à l'intérieur de sa propre famille les querelles que d'autres individus entretiennent avec les personnes divines ou infernales. Tout le dramatique français, tragédie et comédie, peut se contenter comme décor de la chambre à coucher et de la salle à manger, et l'Olympe français est la famille au complet réunie pour le repas autour de la table, ou devant le notaire pour la lecture du testament. Le nœud de vipères, qui est chez les Grecs la tête de la Méduse, chez les Allemands le grouillement des instincts et des velléités individuelles, est, dans ce pays, l'enchaînement indissoluble des cousins, oncles et tantes, et il en est de même pour les sentiments tendres, nœuds d'orvets ou nœuds d'hermines. En France, l'amour de la solitude, élément du tragique, ne vient pas du besoin d'une confrontation avec la nature : le solitaire n'est pas celui qui fuit ses semblables, mais celui qui fuit sa famille, ou soi-même, puisqu'il en est un élément. La plupart des pièces que nous considérons comme les chefs-d'œuvre tragiques ne sont que des débats et des querelles de famille. Ce que les critiques nous ont tous présenté chez Corneille comme des conflits entre l'amour et l'honneur ne le sont, en vérité, qu'entre l'amour et le devoir familial. Au moment pathétique où Siegfried trouve devant lui les filles du Rhin ou les géants, l'eau ou la terre, où Faust trouve Méphistophélès, le Cid trouve son père, Polyeucte sa femme, et Horace sa sœur ; si le conflit nous émeut moins dans *Cinna*, c'est que Cinna n'a affaire qu'avec son oncle, et la plus émouvante tragédie de Racine, la tragédie personnelle de son silence, est due aussi à des considérations de famille. Comme la réalité et la réserve intellectuelles du français lui interdisent toute liaison et tout mariage avec les abstractions, comme il n'accueille, d'autre part, qu'avec les plus grandes réserves les dieux dans sa vie de semaine et sous son toit, il ne lui reste aucune chance d'incorporer les unes ou les autres dans son domaine moral. Ajoutez qu'il y a deux sortes de Français : le croyant et le libéral. Or, la foi française implique un Dieu à l'esprit large et charitable, humain dans ses mouvements envers l'homme ; l'athéisme français, lui, avec ce goût optimiste du durable qui est la caractéristique de notre petit commerce et de notre franc-maçonnerie provinciale, implique un néant de bonne composition et de qualité reconnue, un néant loyal. Aucune des deux solutions ne peut donc contribuer à peupler notre esprit et notre sol de ces figures et de ces menaces qui sont l'essence du tragique, et la vérité est qu'on ne les y rencontre pas, ni dans les paysages ni dans les mots. Les deux ou trois loups-garous qui habitent encore la province sont exclusivement réservés. Il suffit de traduire *Macbeth* en français et de le représenter chez nous pour que le chœur des sorcières nous rappelle invinciblement le chœur des cigarières de *Carmen* ou les chants alternés des héros de Labiche. Je ne parle même pas de l'atténuation que subissent chez nous les aspects et les heures tragiques de la nature. Il est hors de doute que la nuit même, cette nuit qui tombe chaque soir sur Orléans ou sur Saint-Jean-de-Luz, n'est qu'une traduction édulcorée et inoffensive de la nuit qui s'abat à la même heure sur la Saxe ou sur Glasgow.

Or le spectacle que le Français préfère encore est le théâtre que Bellac préférait. Les seuls appâts qui puissent attirer la foule de nos spectateurs pacifiques aux arènes de Nîmes ou de Saintes, ce sont encore, avec les courses de taureaux, variété animale de la tragédie, non pas les comédies ou les opérettes, mais les pièces qui ont pour titre *Philoctète* ou *Britannicus* : c'est le sang. Dans tous nos théâtres à ciel ouvert, *Andromaque* est jouée à guichets fermés. Depuis la guerre, la Comédie-Française et l'Odéon ont reçu plus de soixante tragédies où cette guerre ne semblait connue que sous sa forme médique ou carthaginoise. Le fanatisme avec lequel les abonnés du Théâtre-Français fréquentent cette institution vient d'ailleurs de ce qu'ils en ont suivi tous les acteurs dans des rôles de tragédie, et que, dans les comédies les plus modernes ou les plus frivoles, ils ne voient qu'un voile léger jeté sur des voix et des silhouettes tragiques. Mounet-Sully avait un de ses plus grands triomphes dans un personnage jovial d'Alexandre Dumas, justement parce que son public voyait ce rôle comme un masque modeste, un domino en veston passé sur Œdipe-roi, et tout ce succès allait à Œdipe-roi en bonne humeur, à Œdipe-roi ami des jeux de mots. La fête de la directrice, dans nos pensionnats de jeunes filles ne va jamais sans la représentation d'une Cléopâtre ou d'une Antigone, et l'immolation d'une de ces passionnées ou d'une de ces vierges est aussi nécessaire à l'allégresse générale que celle d'Iphigénie à la connivence du ciel grec. Notre plus grand poète passé est un poète tragique, notre plus grand poète futur le sera, nos plus grands acteurs ont toujours été des acteurs tragiques, nos plus grands hommes, de Napoléon à Renan, n'ont aimé que les spectacles tragiques. Lorsque vous ouvrez par mégarde, comme cela m'est arrivé récemment, le tiroir du ministre des Beaux-Arts le plus moderne, vous y trouvez, interrompu par quelque congrès de Toulouse, le manuscrit d'une tragédie ; et lorsque disparaît prématurément un jeune poète, comme ce Pierre Frayssinet, qui mourut à vingt-cinq ans et dont l'existence si brève devient, par l'universalité de ses goûts et la pureté de son lyrisme, un symbole de la présente jeunesse, nous découvrons que ses œuvres préférées et les seules qui soient achevées sont trois tragédies qui ont nom *Alceste*, *Admète* et *Ajax*... J'ai en ce moment sur les lèvres le dernier vers qui ait été écrit en France... C'est le plus jeune, et c'est un vers tragique.

Ainsi donc se pose la question : le pays de la tragédie n'est pas le pays du tragique. Le pays peuplé de toutes les libertés a été le premier à assurer la succession de la terre surpeuplée de contraintes extra-humaines. Le pays où les arbres sont des arbres, le ciel de l'air et non un gratte-ciel dont les étages supérieurs sont combles, les bœufs des bœufs et non des minotaures, a pu offrir à des légendes outrées et fictives le même asile et la même ressource que le pays où la nature n'est que le travesti de l'invisible et de l'inaccessible. Les héros et les dieux grecs ne sont vraiment à l'aise que dans la nation, non pas seulement de Voltaire ou de Renan, mais des bourgeois de Bellac ou du quartier de la Bastille. Pourquoi ?

Parce que, en France comme en Grèce, ce n'est ni le malheur ni la fatalité qui poussent l'individu ou la foule à goûter le spectacle tragique. C'est, au contraire, la plénitude d'esprit et l'aisance de la vie. Le Français peut aimer le spectacle, même si son fauteuil au théâtre est inconfortable, mais non si son siège dans la vie est incommode. L'impression qu'il ressent devant la tragédie, l'angoisse ou l'émotion, lui vient non de ce qu'il voit son sort joué sur la scène par des puissances supérieures, mais du remords et de la gratitude qu'il éprouve à sentir sa tranquillité sur cette terre assurée par les rançons payées au nom de Philoctète, Samson ou Agamemnon. Pour parler littérature, la prodigieuse ressemblance de la pensée grecque et de la pensée française vient justement de cette distinction tracée une fois pour toutes entre le personnage littéraire et l'être vivant. Elles semblent y être arrivées par les méthodes les plus opposées : l'une par la constitution de l'Olympe, l'autre par celle de la bourgeoisie. Mais elles introduisent ainsi dans leur civilisation la notion de l'idée agissante et de l'homme spectateur ou lecteur, c'est-à-dire du vrai spectacle et de la vraie lecture. Ni le Grec ni le Français ne vont au spectacle tragique pour en tirer un profit moral ou pour y voir le reflet de leur propre existence. Alors que le spectateur allemand, selon la pièce que l'on joue, se sent Werther ou Siegfried, jamais le Parisien ou l'Athénien ne se sont identifiés avec Œdipe ou avec Britannicus. Un altruisme ou un égoïsme étrange le poussent au théâtre à ne souffrir que des peines des autres. Et aussi une sorte de réserve, de modestie l'empêche de s'identifier aux hautes individualités que poursuit la fatalité. Il en rapproche tout au plus son souverain, comme il le fit en voyant dans Titus Louis XIV, et dans Bérénice La Vallière. La foule qui se presse devant les Arènes ou dans la Comédie-Française ne ressemble en rien à la foule silencieuse qui, à Bayreuth ou à Munich, entre dans la salle avec l'anxiété de ceux qui viennent se soumettre à une expérience qui modifiera leur caractère ou leur destin. Elle sera silencieuse aussi et déférente au premier vers ; mais, jusque-là, elle rit, plaisante, se bombarde avec ces boules de neige du Midi qui s'appellent des oranges. Mais, dès que le premier acteur paraît, sa vie personnelle cesse. Le personnel des héros et des héroïnes est pour elle une sorte d'armée de gladiateurs sur laquelle on lâche, non des bêtes féroces, mais, qu'on me pardonne de répéter ma métaphore, tous les fauves du destin et du cœur. Si la tragédie de Poizat ou de Silvain attire autant de spectateurs que celle de Racine ou de Sophocle, c'est que le héros seul compte, comme seul le taureau compte, ou seul le gladiateur. Il est toujours intéressant de voir comment il luttera contre une nouvelle forme de fatalité, et, dans cette course où les taureaux s'appellent l'inceste, la jalousie, l'orgueil, il est assuré, du moins, que le meilleur combat sera obtenu par la variété Œdipe, Ajax ou Athalie, dont la capacité de résistance et de courage est aussi connue à Saintes, à Orange ou place du Palais-Royal que celle des taureaux Miura dans l'élevage espagnol. Ainsi le manque d'instinct littéraire de la masse et l'exagération littéraire de l'élite, et aussi la spécialisation de l'une et la modestie de l'autre, les ont conduites toutes deux au même résultat : à constituer une humanité spéciale chargée d'éprouver les grandes souffrances et de supporter les grands coups du sort, à diviser le monde entre un nombre infini de spectateurs et un nombre limité d'acteurs : ce sont là exactement les définitions de la tragédie. Ajoutez le goût de la parole et du discours, que le héros tragique et le citoyen grec ont de commun avec le citoyen français. Ajoutez la préférence du décor verbal, et de l'évocation provoquée par le nom historique, à tous effets de machinerie propres à troubler la dignité de cette digestion suprême qu'est pour lui le spectacle, et vous aurez une explication de cette présence réelle de la tragédie en France.

Telle est la vérité de Bellac et de la France, et lorsqu'un soir de printemps 1621 le sieur Jacques Rondeau, marchand tailleur de la ville de Montmorillon, le curé Pierre Rétonnau et Mathurin Cognac, le marchand de bois de Chauvigny, qui arrivaient vers le crépuscule dans la plaine bordée par la Gartempe et dominée par Bellac, aperçurent soudain face à face, au milieu d'une assemblée, d'une part une dame vêtue d'une robe noire de cinq mètres, laquelle était semée de cœurs, de larmes et de flammes de satin blanc, entourée de jeunes filles aux jambes nues et portant des vases de faïence d'où sortait une fumée, et, de l'autre, une déesse, couronnée de fleurs, les bras retroussés tenant une branche de cyprès remplie de petits cristaux qui pendaient de tous côtés, et assistée de huit grands hommes nus jusqu'à la ceinture et armés de massues, ils ne virent pas, comme ils le crurent, un signe du ciel apparu en forme de procession, mais Proserpine et Cérès, assistées de leurs chœurs, qui marquaient, avant la décrépitude de la basse Marche, l'apothéose de l'époque de Périclès de Bellac.

Épilogue

LA FRANCE ET SON HÉROS

C'est le dernier jour de l'année. Il vaudrait mieux que les derniers mots que l'on écrit, de cette année 40, ne soient pas tout à fait faux, tout à fait ternes. Et le destin n'a pas transféré le pôle de la France sur ce district jusque-là sans histoire, sur ces confins de Bourbonnais et d'Auvergne dont le seul transparent était ma jeunesse, pour que je ne sois pas moi aussi aimanté et vrai. Dans la salle où j'ai entendu pour la première fois l'*Africaine*, à Vichy, — j'avais quatorze ans, que c'était beau! — voici l'Assemblée nationale. Dans la clairière où Charles-Louis Philippe, qui ressemblait à tout ce qui est beau et solide en ce monde excepté aux arbres de la forêt, me raconta Croquignole, à Cérilly, voici le chêne du maréchal. Je ne parle pas de Pellevoisin, où j'ai chanté cinq ans avec les pèlerins, dans la procession autour du tumulus, le cantique où l'âme juste entend choisir Pellevoisin comme ultime séjour. Les sources, les restaurants, les croisements de route, prennent du soir au matin, aux alentours de la capitale provisoire, ce vernis qui les recouvre encore dans les environs de Mehun-sur-Yèvre. L'Allier, le Sichon, coulent comme la Loire, comme la Yèvre;

le soleil, la lune éclairent comme le soleil de Charles VII, la lune de Jeanne, et les deux grandeurs de l'histoire pèsent à la fois sur nous, dans leur contradiction, le pouvoir et l'exil. C'est bien cela que je suis, à Cusset, exilé dans ma propre ville. La maison qui me donnait les vacances me donne l'exil, mais à Cusset, il est très supportable, car je n'y suis pas seul, j'y suis avec la mer. Cusset est pleine de marins, de marins dans la neige. Un pavillon de cuirassé flotte sur le cours Lafayette. Les murs des cabarets, comme à Brest, sont décorés peu à peu de torpilleurs à pleines moustaches par les artistes du bord, et Pierre Roy, peintre de la marine, dessine dans les albums des jeunes filles les coquillages trouvés par elles dans les champs, car la mer, lui expliquent-elles, est déjà venue à Cusset. Il le sait, elle pourrait ce soir y revenir. Tout serait prêt. Les enfants des écoles ont appris tous les nœuds par lesquels on boucle et l'on amarre, et dans la ville règne cette assurance que seules connaissent aujourd'hui en France les villes de marins. Filles et garçons du collège, guindés sur leurs bicyclettes au départ de Vichy, arrivent à la grande place de Cusset déjà revigorés, jouant à écrire sur le verglas avec leurs roues, — ils ont appris à écrire dans l'intervalle —, car, si Vichy est plutôt vaincue, Cusset, siège de l'Amirauté, est plutôt victorieuse. C'est la revanche sur cette concurrente. Vichy a pris à Cusset ses eaux minérales, Cusset lui prend, sinon l'Océan, du moins la marine. A cause de ces gabiers qui plaisantent, qui circulent sans idée fixe et sans remords sous des bérets et dans des camions aux noms les moins ternis de France, Vendémiaire, Calypso, Sirocco, entre tant de villes qui cherchent, en cette fin d'une année, en ce début d'une ère, leur humeur et leur sens, ce n'est pas tant que Cusset sur ses collines semble au niveau de la mer, qu'au niveau de cette existence digne et sûre qui était notre vie courante et celle du pays lorsque j'y suis venu pour la première fois.

Il y a trente-cinq ans. Oui, rabâchons un peu. Depuis trente-cinq ans, qu'a-t-on fait de la France, sinon de la descendre au-dessous de la vie qui lui était due! Vis-à-vis de notre destinée, quelle politique avons-nous eue, sinon celle de la Hollande vis-à-vis de la mer : une politique de digue ? La Hollande en avait le devoir, la mer est son ennemie, les lois liquides attirent la mer en Hollande ; à la repousser, à l'endiguer, elle n'en devient d'ailleurs que davantage la pression et la mer. Mais la vie est notre amie. La vie universelle, la vie intérieure étaient nos amies, nous voulaient du bien, et nous les avons toujours confondues avec la menace. Contre le voisinage de l'Europe, la digue de la méfiance, de l'ignorance. Contre la richesse du monde, la digue de l'épargne. Contre la beauté de l'heure, la digue des habitudes. Rares ont été les chefs qui aient pensé nous mettre de plain-pied avec la paix, avec l'abondance, avec la grandeur, avec notre âge. Et les plaies du monde n'étaient pas traitées autrement que ses bonheurs. Contre la pauvreté, la digue du papier-monnaie. Contre la vie chère, la digue du célibat. Contre la guerre moderne, la digue Maginot. Des digues qu'il fallait surélever à mesure que les offres de la vie, les instances de l'univers devenaient plus généreuses ou plus brutales, et que notre niveau baissait. Nous en étions aux doubles impôts, aux doubles soldats, aux doubles célibataires. Nous nous faisions la courte échelle pour voir au-dehors et avoir des enfants. Tous les Français se demandaient pourquoi cet air sans souffle, ce manque d'air. C'est qu'ils respiraient mal. C'est qu'ils vivaient au-dessous du souffle et de l'imagination. Cette terrasse au-dessus du siècle, des siècles, qu'ils habitaient autrefois, on la protégeait maintenant par des murs. Le gratte-ciel chez nous n'était pas la maison même, mais le mur autour de la maison. Contre le voisinage, contre le ciel : des murs, une digue. Le verre dépoli aux fenêtres des écoles contre les oiseaux et les arbres. Le mur avec tessons autour de la villa contre le gazon de l'accotement, les fleurs champêtres, et le passage humain. Un œillet sauvage ne pouvait pénétrer de lui-même dans la cour d'un banquier français, ni un enfant, ni un Français. Il restait encore les peintres français, qui ne mettaient pas contre la couleur la digue de la cécité, et les écrivains français, qui n'élevaient pas contre l'inspiration la digue de l'insensible, et tous ceux qui vont le nez levé, les sculpteurs, les ingénieurs qui construisent les vraies digues, les architectes, les jardiniers, les astronomes, et il restait tout un peuple ardent et inspiré ; mais un peuple mal à l'aise et qui se donnait de fausses raisons et de fausses justifications de cette inquiétude et de ce dénivellement. Car il les expliquait par l'abondance dans l'époque d'événements et de personnages tragiques, par le déroulement en tous lieux de tragédies, alors que la cause était toute contraire. Alors que cette déperdition de joie, de calme, de sûreté, de gaieté, loin de s'expliquer par les guerres, les pestes, les famines, venait de ce que le Français avait laissé se détendre en lui cette notion tragique, qu'il devait à une littérature et à une morale où le personnage tragique avait le rôle dominant et qui était, bien que purement imaginative, son vrai ressort.

Car c'est là ce que nous ont appris, à nous tous voyageurs et écrivains, nos périples et nos carrières. Ce n'est pas le démesuré, l'excessif, ni la raison, ni la mesure, qui maintiennent les peuples grands ou sensés, c'est la constance de leur relation avec le personnage que l'histoire ou la fiction ont rendu leur symbole. Tout le monde a dit que le commun dénominateur d'une nation n'est pas son homme de la rue, que c'est son héros ; mais ce n'est vrai qu'en précisant que ce héros doit rester sa norme non seulement dans sa réflexion ou sa chevalerie, mais dans les mouvements et les habitudes les plus journalières, dans la façon de s'habiller, de manger les œufs à la coque, de plaisanter ou d'être triste aux enterrements. Dans tout restaurant, tout théâtre, toute assemblée, un siège en effet est réservé, outre le siège du Chef de l'État : celui du héros du pays, et c'est à partir du moment où sa présence y serait déplacée, qu'un écart pourrait surgir entre les actes et les destinées de la nation. C'est cette syntaxe héroïque dans son langage, dont les formes peuvent d'ailleurs impunément changer, cette base héroïque dans son goût et sa vision, ce diapason héroïque dans son timbre, qui sont les garants de sa vertu propre et les conformateurs de sa morale. Or le danger mortel que court la France, danger qu'elle est la seule nation à courir, vient de ce que son héros ne vit pas naturellement chez elle, n'y est pas nourri par l'événement, avivé par les conjonctures, conservé dans une jeunesse primitive par la chanson ou par le conte, omni-présent dès l'enfance même de la nation, inclus dans chaque dessin de la nature ou de l'imagination locales comme le voleur dans le pommier des dessins-devinettes pour enfants : qu'il n'est pas un héros légendaire. Sur ce point, pas d'équivoque. Tout effort pour appeler la légende au secours de notre réalité est voué à l'échec. Tout essai pour découpler des mythes nationaux dans notre raisonnement ou notre morale est vicié. Avec ceux de nos nationaux dont d'autres peuples font des héros légendaires, je pense à Lafayette, nous ne faisons que des bourgeois de premier ordre. Depuis des siècles, la légende ne monte pas plus haut chez nous que le brouillard au-dessus des labours d'automne, le premier rayon du génie la disperse ou l'absorbe et la France fabuleuse s'est depuis longtemps évanouie devant la France réelle. Les héros de nos temps les plus brumeux et les plus primitifs, même baignés dans l'imagination gauloise ou celte, Vercingétorix ou Roland, se refusent, malgré les sollicitations de tous alexandrins ou décasyllabes, à quitter leur vérité historique et leur ossuaire pour entrer dans la fable, et le gnome comme le géant mènent chez nous une vie infantile et sans avenir, auquel le spectre n'échappe que par sa lucidité et par sa dialectique. L'abondance des exploits et des grands hommes occupés dans notre pays l'a dispensé des aventures imaginaires et ne lui a pas permis encore de romancer sa destinée. La génération légendaire née en France ou dans ses environs a dû émigrer, de Parsival à Tristan, pour trouver chez d'autres peuples emploi à sa taille, devant ces personnages réels qu'étaient saint Louis ou Jeanne d'Arc, et ces tâches réelles qu'étaient la croisade ou la libération. Le personnage saint lui-même y réussit, non par ses miracles, de saint Bernard à saint Vincent de Paul, mais par le pouvoir raisonnant de ses occupations humaines. Les lieux en France où l'on peut enterrer un guerrier illustre, où peut naître un homme illustre, sont infiniment moins rares que ceux où l'on peut enterrer un soldat inconnu, où peut naître un héros anonyme. Nous n'avons pas à compter sur nos collines, nos forêts, nos rivières, nos roches pour nous fournir, au moment critique, l'aide de leurs habitants imaginaires, car chez nous collines, forêts, rivières, composent un paysage qui, loin d'être créateur, semble plutôt créé et dessiné par nos héros eux-mêmes. C'est sans doute ce que l'on a voulu exprimer en disant que le Français n'a pas le génie épique : c'est que son épopée ne comporte pas la légende, c'est que son héros n'est pas d'une race qui surclasse ou déclasse l'humanité par son corps illogique et son âme impulsive, mais un être que la fiction même ne dote que d'une taille moyenne, d'une force moyenne, dont la raison et la vérité sont strictement humaines. Comme la danse, art sans légende, la vérité française ne demande que le mouvement. Le Français n'est pas enceint, pénétré, ombré par un double à formes distendues, mais seulement escorté, à droite, par le héros historique, dont la vie est datée, contresignée, dont les actes passés à la renommée sont justement les plus clairs et les plus nets, à gauche par le héros de sa littérature et de son théâtre, dont la vie est inventée, les actes imaginés, mais dont le caractère fictif ne sert justement qu'à y pousser à la perfection le geste et la décision humains. Ce n'est pas qu'il n'aurait pu se créer de héros légendaire. Aucune grossesse légendaire n'a été plus prononcée que celle de la France du Graal et des fils Aymon. Mais il a été amené, aussi bien par la nature de son raisonnement que par la loyauté de sa foi, à prendre nettement parti pour la responsabilité et l'intimité humaines sur cette terre ; il a entendu qu'elles ne soient ni limitées ni faussées par l'acceptation de forces importunes et de fatalités, et, au lieu de personnifier les passions par des êtres de race spéciale, c'est-à-dire en somme d'en libérer l'humanité, il les a déchaînées et cultivées à l'intérieur des humains mêmes. De là l'aisance avec laquelle le héros grec est venu chez lui, avec ses menus objets mêmes et son costume. Si le Français, qui n'admet gnome, mandragore ou Walkyrie que comme des accessoires coûteux et équivoques de l'imagination, entre de plain-pied dans l'Olympe, accorde droit de cité, même si la cité est bretonne ou ardennaise, aux Muses, aux Cyclopes, au serpent de mer d'Hippolyte, c'est que toutes les formes de la fatalité grecque, loin de noyer l'homme dans leur flot, l'en isolent, et que la plus grande mise en scène de miracles et de monstres dans le théâtre grec ne fait qu'attiser la projection qui cercle le mortel. Le Français a accepté en legs, justement à cause de sa beauté conventionnelle et de son innocuité, tout l'appareil démonté du Parnasse et du Pinde, parce que jamais, si les noms et les formes y sont légendaires, les distances et les approches entre la nature humaine et la divine n'ont été aunées à une mesure aussi précise. Il comprend dieux grecs, catastrophes grecques, comme le chiffre, non la réalité, des instances surhumaines, qu'il ne peut accepter, — s'il veut conserver son trésor, la sérénité, — que figurées et théoriques,... en laissant aux saisons, aux âges, aux alternances de bonheurs et de catastrophes, leur mission de vigueur et d'inconscience. Ce décor grec que l'architecte élève autour de sa baignoire ou de sa piscine, et qui non seulement semble donner une excuse mais un sens à la nudité de son corps, lui procure sans autre effort la nudité de l'âme, et la certitude d'y faire régler par des esprits nus les conflits extrêmes de la passion. De là l'émigration, dans notre climat atlantique, de l'imagination et de la sagesse du soleil. Le soir, quand nos rues et nos routes sont vides, que le ciel soit clair ou brumeux, quand de la campagne ou de la ville la nuit a retiré vers l'inconscience paysans et citadins, ce ne sont guère des fantômes ou des êtres extra-humains qui circulent à leur place et assurent la respiration du pays évanoui dans le sommeil ; l'intérim de la vie, de la veille, n'est pas fait par des géants poilus ou des nains ricanants que mettent en démence les lieux où demeurent la chaleur et l'odeur humaines, avides de notre sueur et de notre sang, mais par des héros précis, secs, calmes, qui tiennent leur mission d'une fatalité aimable et épilée, et qui restent, sous la lune comme entre les saules, des humains solaires. La prédominance étant acquise, parmi eux, au héros tragique, on peut donc dire que c'est lui, de même qu'il le fut du grec, qui est le prototype du français. C'est lui qui assure les bases de la morale française, comme de la morale grecque, à savoir que les événements ne sont pas l'élément essentiel de la Grèce ou de la France. Le caractère même de leur culture les en dispense. Les grandes parties héroïques de l'Hellade se sont jouées moins sur le champ de Marathon ou aux Thermopyles qu'à Épidaure ou à Olympie. Car, alors que le héros légendaire entraîne son peuple vers le grossissement et le redoublement de ses instincts, Odin vers la guerre, Siva vers la perte de son individualité, et par le prosélytisme le mène directement à la mêlée et au cataclysme ou au triomphe, le héros tragique est seulement l'exemple du sacrifice personnel qui porte les sentiments et les conflits des hommes à ce point ardent où ils s'éliminent et se consument eux-mêmes. C'est à cela chez nous qu'on reconnaît le chef, non à un halo, non à un nimbe, non à son aura maléfique ou miraculeuse, — nos rois eux-mêmes n'ont jamais guéri que des écrouelles, — mais à cette sagesse apprise et à cette connaissance héritée des passions et des logiques humaines. Le pouvoir chez nous est un banquet que le chef ne peut présider avec force et sang-froid et modestie que s'il a pour convives et pour égaux naturels, non seulement ses devanciers, mais tous les personnages artificiels qui dans notre langage sont morts d'orgueil, de faiblesse, d'ambition, d'inopportunité, ou d'amour. Sinon, je veux dire s'il est illettré de nature ou de naissance, il n'aura jamais debout derrière son siège que de sombres ou comiques représentants de la fatalité.

Tel a été jusqu'ici le sens du pays. Cela ne veut pas dire qu'il ne puisse changer de destinée. Mais s'il ne considère pas l'illumination et l'illustration de son intelligence comme un devoir naturel et primordial, cette destinée ne pourra plus être que de second ordre. De la jachère, des friches de l'âme française pourraient peut-être s'élever les figures légendaires ; l'angoisse, l'habileté, l'espoir, le malheur, pourront peut-être perdre chez nous leur caractère d'expériences ou de vertus individuelles, et chaque Français les passer au compte d'une angoisse, d'une espérance, ou d'une calamité globales et anonymes. Mais quels sont les Tristan que nous pouvons attendre d'une terre sans naïveté et où ni la foi, ni même la crédulité ne sont étales ? Le danger serait immense de modifier la marche de cette nef dont les manœuvres ont surmonté jusqu'ici tous les naufrages parce qu'elles étaient faites par l'équipage invisible, non des anges comme pour celle de Nicomède, mais des héros les plus humains et les plus précis.

Ainsi je pense dans Cusset endormie, dans les dernières heures de cette année. C'est la pire année. C'est la pire nuit. Il neige et il pleut et il grêle et il vente et il verglasse. Mais de tous les sapins du Forez, des montagnes Noires, des lacs d'Auvergne, ce n'est pas un guerrier à braies et à moustaches tombantes qui vient me rendre visite, dans Cusset secouée par la tempête et dont les torrents mugissent, mais, par Saint-Étienne où est mort Émile Clermont, Ambert qui nourrit Chabrier, Montferrand où joua Rameau, Clermont où naquit Pascal, un héros en chlamyde qui sourit doucement, qui sourit on ne sait pas très bien à quoi,... mais cela n'a pas d'importance, car c'est ou à la vie, ou à la mort.

Cusset, 31 décembre 1940.

[illegible] par des nuages comme nous [illegible] la Normandie, mais des [illegible] les plus lumineuses et les plus [illegible].

Ainsi je [illegible] dans [illegible], dans les [illegible] de cette [illegible] [illegible] [illegible]

[illegible]

IV. THÉATRE

ÉPILOGUE

DU MEME AUTEUR

Histoire

PROMENADE AVEC GABRIELLE.
SIEGFRIED ET LE LIMOUSIN.
PLEINS POUVOIRS.
LE FILM DE BÉTHANIE.
DE PLEINS POUVOIRS A SANS POUVOIRS.
LA FRANÇAISE ET LA FRANCE.
LES CONTES D'UN MATIN.

Aux Éditions Bernard Grasset

Romans

PROVINCIALES.
L'ÉCOLE DES INDIFFÉRENTS.
SIMON LE PATHÉTIQUE.
ELPÉNOR.
SUZANNE ET LE PACIFIQUE.
JULIETTE AU PAYS DES HOMMES.
BELLA.
ÉGLANTINE.
LA FRANCE SENTIMENTALE.
AVENTURES DE JÉROME BARDINI.
COMBAT AVEC L'ANGE.
CHOIX DES ÉLUES.

Théâtre

SIEGFRIED.
FIN DE SIEGFRIED.
AMPHITRYON 38.

Judith.
Intermezzo.
Tessa.
Supplément au Voyage de Cook.
La Guerre de Troie n'aura pas lieu.
Électre.
L'Impromptu de Paris.
Cantique des Cantiques.
Ondine.

Souvenirs et Critique

Lectures pour une ombre.
Adorable Clio.
Les Cinq Tentations de La Fontaine.
Textes choisis, réunis et présentés par *René Lalou.*